RÉNYI PICTURE DICTIONARY

POLISH AND ENGLISH

ÉDITIONS RÉNYI INC.

355 Adelaide Street West, Suite 400, Toronto, Ontario, Canada M5V 1S2

The Rényi Polish Picture Dictionary

Illustrated by Kathryn Adams, Pat Gangnon, Colin Gilles, David Shaw and Yvonne Zan. Cover illustration by Colin Gilles. Designed by David Shaw and Associates.

Typesetting by Master Printing Inc.

Color separations by New Concept Limited.

Printed in Canada by Metropole Litho Inc.

In this dictionary, as in reference work in general, no mention is made of patents, trademark rights, or other proprietary rights which may attach to certain words or entries. The absence of such mention, however, in no way implies that words or entries in question are exempt from such rights.

English language editors: P. O'Brien-Hitching, R. LeBel, P. Rényi, K. C. Sheppard

Polish edition by J. Kwak, J. Siedlecka, B. Trojan

The Rényi Polish Picture Dictionary   ISBN 0-921606-30-3

INTRODUCTION

Some of Canada's best illustrators have contributed to The Rényi Polish Picture Dictionary, which has been carefully designed to combine words and pictures into a pleasurable learning experience.

Its unusually large number of terms (3336) makes The Rényi Polish Picture Dictionary a flexible teaching tool. It is excellent for helping young children acquire language and dictionary skills in English or in Polish. Because the vocabulary it encompasses is so broad, this dictionary can also be used to teach older children and adults as well. Further, the alphabetical Polish index included lets Polish speakers quickly locate the English words. Thus it is also an effective tool for teaching English as a second language.

THE VOCABULARY

The decision on which words to include and which to leave out was made in relation to three standards. First, a word-frequency analysis was carried out to include the most common words. Then a thematic clustering analysis was done to make sure that words in common themes (animals, plants, activities etc.) were included. Finally, the vocabulary was expanded to include words which children would likely hear, ask about and use. This makes this dictionary's vocabulary more honest than most. `To choke', `greedy', `to smoke' are included, but approval is withheld.

This process was further developed by the decision to systematically illustrate the meanings. Although the degree of abstraction was kept reasonably low, it was considered necessary to include terms such as `to expect' and `to forgive', which are virtually impossible to illustrate. Instead of dropping these terms, we decided to provide explanatory sentences that create a context.

USING THIS DICTIONARY

Used at home or at school, this dictionary is an enjoyable book for children to explore alone or with their parents and teachers. The pictures excite the imagination of younger children and entice them to ask questions. Children often look to visual imagery as an aid to meaning; the pictures help them make the transition from the graphic to the written. Even young adults will find the book useful, because the illustrations, while amusing, are not childish.

The alphabetical Polish index at the end of this book lists every term with the number of its corresponding illustration. Teachers can use this feature to expand children's numeracy skills by asking them to match an index number with the illustration. The dictionary as a whole provides an occasion to introduce students to basic dictionary skills. This work is compatible with school reading materials in current use, and can serve as a `user-friendly' reference tool.

Great care has been taken to ensure that any contextual statements made are factual, have some educational value and are compatible with statements made elsewhere in the book. Lastly, from a strictly pedagogical viewpoint, the little girl featured in the book has not been made into a paragon of virtue; young users will readily identify with her imperfections.

Do moich przyjaciół!

"Słownik dla dzieci" być może będzie waszym pierwszym prawdziwym słownikiem. Sprawi on Wam wiele przyjemności.

Na imię mam Ania. Jestem małą dziewczynką. Chodzę do szkoły i na lekcje pływania. Mam młodszego brata i wiele, wiele poglądów na różne tematy. Jeżeli chcecie poznać mojego tatę, admirała, znajdziecie go tuż obok, na pierwszej stronie, przy samym końcu. Moja mama jest na drugiej stronie, u góry. Jeżeli chcecie poznać mnie poszukajcie hasła "spokojna" (412).

Razem ze mną, nauczycie się dużo pożytecznych i interesujących słów. Poznacie też niektóre liczby.

Pięciu dorosłych ilustratorów miało dużo zabawy przygotowując ilustracje do tej książki. Ja także narysowałam jeden obrazek — zebrę. Czy wiecie jakie jest ostatnie hasło w moim słowniku?

Słownik ten został przygotowany specjalnie dla Was — moich przyjaciół. Mam nadzieję, że się Wam spodoba.

Ania

liczydło

1   abacus

o, około

Opowiedz mi **o** tym.
Zajmie to **około** godziny.

Tell me about it.
That will take about an hour.

2   about

Jabłko jest
nad jej głową.

3   above

Dziś Paweł jest **nieobecny.**

4   absent

Każdy samochód ma
akcelerator.

5   accelerator

akcent

Jacques mówi z francuskim
akcentem.
Akcent pada na pierwszą
sylabę.

Jacques has a French accent.
The accent falls on the first
syllable.

6   accent

wypadek

7   accident

akordeon

8   accordion

Wszyscy **oskarżali**
Natalię.

9   to accuse

as pikowy

10   ace

Boli mnie głowa.

11   My head aches.

Kwasem można poparzyć
skórę.

12   acid

Z małego **żołędzia**
— wielki dąb

13   acorn

akrobatka

14   acrobat

po drugiej stronie, przez

Paweł mieszka **po drugiej
stronie** ulicy.
Harcerz przeprowadza starszą
panią **przez** ulicę.

Paweł lives across the street.
The scout helps an elderly
lady across the street.

15   across

Dodaj!

16   to add

Jaki jest twój **adres?**

17   address

Ojciec Ani jest **admirałem.**

18   admiral

Uwielbiam cię.

19   to adore

Dorośli już urośli.

20   adult

Posuń naprzód króla.

21   to advance

Czy wysoki chłopiec ma **przewagę** nad niższymi?

22   advantage

Mama Ani lubi **przygody.**

23   adventure

On **się boi.**

24   He is afraid..

Afryka jest kontynentem.

25   Africa

po, za

Możesz się bawić **po** obiedzie.
Powtórz **za** mną.
Biegnij **za** piłką!

You can play after dinner.
Repeat after me!
Go after the ball.

26   after

Popołudnie zaczyna się o 12.00 w południe.

27   afternoon

jeszcze raz, znowu

Zagraj to **jeszcze raz!**
Znowu jesteś nieposłuszny!

Play it again!
You are being disobedient again!

28   again

Mruczek ociera się **o** nogę.

29   to rub against

Co za różnica w **wieku**!

30   age

Atleci są bardzo **zręczni.**

31   agile person

mielizna

32   aground

przed

Helena siedzi **przed** Tomkiem.
O następnych wakacjach trzeba myśleć wcześniej.

Helena sits ahead of Tomek.
You should plan ahead for your next vacation.

33   ahead

udzielać **pomocy,** udzielić **pomocy**

34   to provide aid

Czy ona prosto **celuje?**

35   to aim

Latawiec lata w **powietrzu.**

36   air

materac dmuchany

37   air mattress

owad w **hermetycznym** pojemniku

38   airtight

Wygląda na to, że **samolot** się psuje.

39   airplane/aeroplane*

Samoloty lądują na **lotnisku.**	**przejście** między ławkami	**budzik**	**album** ze zdjęciami
40 airport	41 aisle	42 alarm clock	43 album
Dom **się pali!**	**Żywa** ryba ciągle pływa.	Chcę to **wszystko.**	Kot łazi po **zaułkach.**
44 alight	45 alive	46 I want them **all.**	47 alley
aligator	**migdał**	Reks **prawie** że złapał kość.	Dlaczego on siedzi **sam?**
48 alligator	49 almond	50 almost	51 alone
Chodź **razem ze** mną!	**na głos, głośno**	**alfabet** A Ą B C Ć D E Ę F G H I J K L Ł M N Ń O Ó P R S Ś T U W X Y Z Ź Ż	Czy ja muszę **już** iść?
52 along	53 aloud	54 alphabet	55 Do I have to go **already?**
Nic mi **się nie stało.**	Dla mnie proszę **też.**	drabina **aluminiowa**	**Zawsze** przewracam się.
56 I am **alright.**	57 I **also** want some.	58 aluminum/aluminium* ladder	59 I **always** fall down.

karetka pogotowia ratunkowego  60 ambulance	wilk **między** owcami 61 wolf **among** sheep	**kotwica** 62 anchor	**starożytne** ruiny 63 ancient
kąt 64 angle	On **się gniewa.** 65 He is **angry.**	**zwierzęta** 66 animals	**kostka** 67 ankle
ogłaszać, ogłosić 68 to **announce**	**jeszcze jedna** kanapka 69 **another** sandwich	**Rozwiązanie** jest... 70 The **answer** is…	**mrówka** 71 ant
Antarktyda 72 Antarctic	**antylopa** 73 antelope	**rogi** 74 antlers	Nie mam **żadnych** pieniędzy. 75 I do not have **any** money.
Ona je **wszystko co popadnie.** 76 It eats **anything.**	On nie może **nigdzie** iść. 77 He cannot go **anywhere.**	**odłączone** od reszty 78 apart	**małpa** 79 ape

pasieka

80   apiary

przepraszać, przeprosić

Przepraszać to znaczy prosić o przebaczenie.
Przepraszam, że się spóźniłem.

To apologize means to ask for forgiveness.
I apologize for being late.

81   to apologize/apologise*

zjawić się, ukazać się

Zjawił się znikąd.
Wydaje się, że śnieg pada.
Królowa **ukazała się** w telewizji.

He appeared out of nowhere.
It appears to be snowing.
The Queen appeared on television.

82   to appear

klaskać, bić brawo

83   to applaud

jabłko

84   apple

ogryzek

85   apple core

zbliżać się, zbliżyć się

86   to approach

morela

87   apricot

Kwiecień jest czwartym miesiącem roku.

88   April

fartuszek, fartuch

89   apron

akwarium

90   aquarium

łuk

91   arch

architekt

92   architect

Arktyka pokryta jest lodem.

93   Arctic

kłócić się, pokłócić się

94   to argue

ręka, ramię

95   arm

fotel

96   armchair

Rycerz nosi **zbroję.**

97   armor/armour*

pacha

98   armpit

dookoła, za

Dookoła świata w osiemdziesiąt dni.
Otacza nas jezioro.
Adam zniknął **za** rogiem.

Around the world in eighty days
The lake is all around us.
Adam disappeared around the corner.

99   around

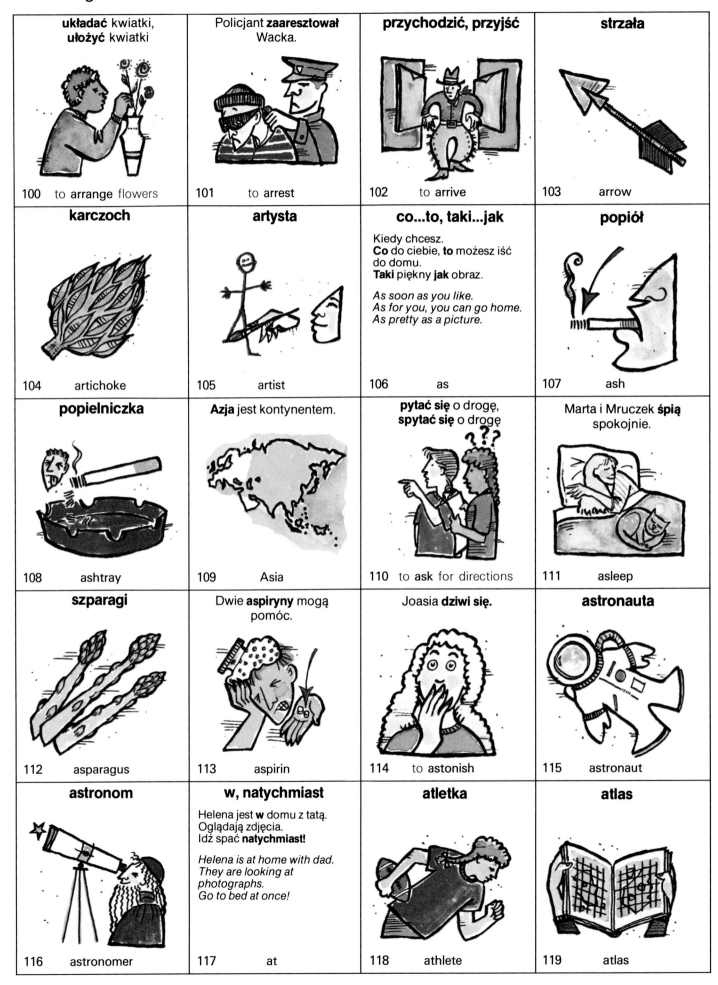

układać kwiatki, **ułożyć** kwiatki	Policjant **zaaresztował** Wacka.	**przychodzić, przyjść**	**strzała**
100 to **arrange** flowers	101 to **arrest**	102 to **arrive**	103 **arrow**
karczoch	**artysta**	**co...to, taki...jak**	**popiół**
		Kiedy chcesz. **Co** do ciebie, **to** możesz iść do domu. **Taki** piękny **jak** obraz. *As soon as you like. As for you, you can go home. As pretty as a picture.*	
104 **artichoke**	105 **artist**	106 **as**	107 **ash**
popielniczka	**Azja** jest kontynentem.	**pytać się** o drogę, **spytać się** o drogę	Marta i Mruczek **śpią** spokojnie.
108 **ashtray**	109 **Asia**	110 to **ask** for directions	111 **asleep**
szparagi	Dwie **aspiryny** mogą pomóc.	Joasia **dziwi się.**	**astronauta**
112 **asparagus**	113 **aspirin**	114 to **astonish**	115 **astronaut**
astronom	**w, natychmiast**	**atletka**	**atlas**
	Helena jest **w** domu z tatą. Oglądają zdjęcia. Idź spać **natychmiast!** *Helena is at home with dad. They are looking at photographs. Go to bed at once!*		
116 **astronomer**	117 **at**	118 **athlete**	119 **atlas**

atmosfera ziemi	**atom**	**łączyć, złączyć**	**Uwaga! Uważaj!**
120 atmosphere	121 atom	122 to attach	123 Pay attention!
Co schowałeś na **strychu**?	**widzowie**	**Sierpień** jest ósmym miesiącem roku.	Siostra mojej mamy jest moją **ciotką.**
124 attic	125 audience	126 August	127 My aunt is my mother's sister.
Australia jest najmniejszym kontynentem.	**autor**	**automatyczny budzik**	**jesień**
128 Australia	129 author	130 automatic	131 autumn
lawina	**gruszka adwokacka**	Kto go **obudził?**	**Nie ma** jej w domu.
132 avalanche	133 avocado	134 awake	135 She is away.
okropny zapach	**niezgrabna** osoba	**siekiera**	**Oś** łączy dwa koła.
136 an awful smell	137 an awkward person	138 axe	139 axle

niemowlę

140   baby

wózek dziecięcy

141   baby carriage/pram*

plecy

142   back

jajka na **boczku**

144   **bacon** and eggs

zepsute jabłko

145   **bad** apple

odznaka

146   badge

cofać, cofnąć

143   to back up

Co masz w **torbie?**

147   bag

przynęta na mysz

148   bait

piec, upiec

149   to bake

piekarz

150   baker

piekarnia

151   bakery

dobra **równowaga**

152   good balance

balkon

153   balcony

Tomasz jest **łysy.**

154   bald

piłka

155   ball

baletnica

156   ballerina

balet

157   ballet

balon

158   balloon

balon napełniony powietrzem

159   hot air **balloon**

banan

160   banana

opaska

161   band

orkiestra, zespół muzyczny

162   musical **band**

bandaż

163   bandage

uderzać, uderzyć

164   to bang

Jacek zjeżdża po **poręczy.**

165   banister

Czy masz konto w **banku?**

166   bank

sztaba metalu

167   bar

Do **barów** chodzą dorośli.

168   bar/pub*

drut kolczasty

169   barbed wire

fryzjer

170   barber

bosa stopa

171   one **bare** foot

okazyjna **wyprzedaż**

172   bargain

barka

173   barge

szczekać, szczeknąć

174   to bark

Jęczmień rośnie na polu.

176   barley

stodoła

177   barn

W **koszarach** mieszkają żołnierze.

178   barracks

kora

175   bark

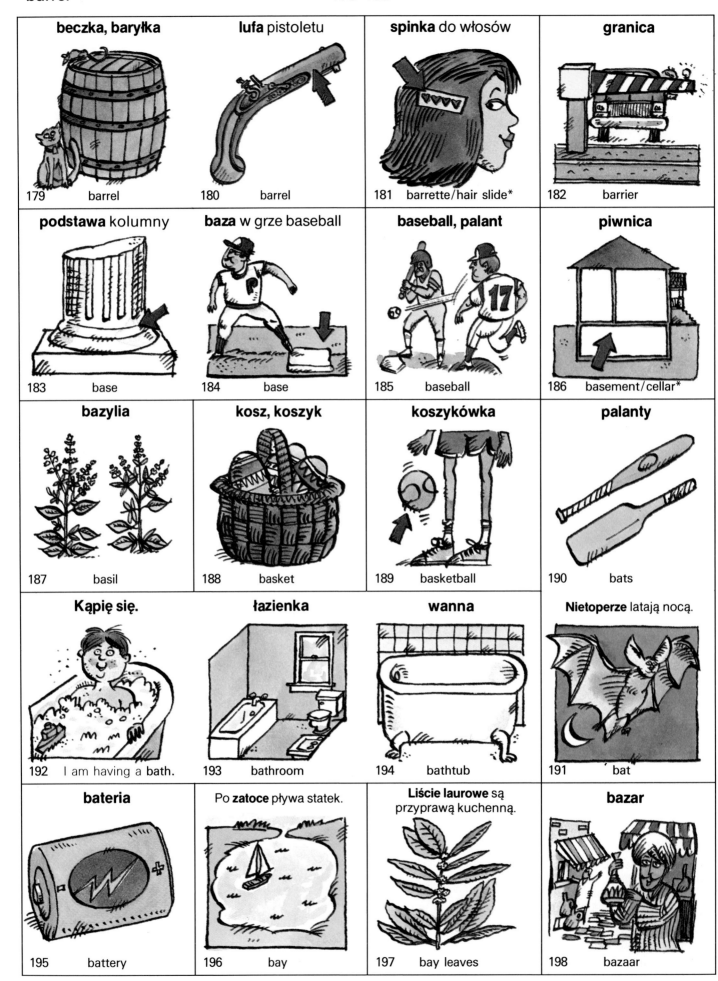

beczka, baryłka

179 barrel

lufa pistoletu

180 barrel

spinka do włosów

181 barrette/hair slide*

granica

182 barrier

podstawa kolumny

183 base

baza w grze baseball

184 base

baseball, palant

185 baseball

piwnica

186 basement/cellar*

bazylia

187 basil

kosz, koszyk

188 basket

koszykówka

189 basketball

palanty

190 bats

Kąpię się.

192 I am having a **bath**.

łazienka

193 bathroom

wanna

194 bathtub

Nietoperze latają nocą.

191 bat

bateria

195 battery

Po **zatoce** pływa statek.

196 bay

Liście laurowe są przyprawą kuchenną.

197 bay leaves

bazar

198 bazaar

być	**plaża**	**koral**	**dziób**
Obiecujesz, że **będziesz** grzeczny? **Jestem** grzeczny. Tomek i Bolek **są** grzeczni, a czy Ania **jest** grzeczna? *Do you promise to be good? I am good. Tomek and Bolek are good, but is Ania good?*			
199 to be	200 beach	201 bead	202 beak

promień światła	**fasola**	**Niedźwiedź** Maciek jeździ na rowerze.	długa **broda**
203 **beam** of light	204 beans	205 bear	206 beard

Co za **bestia!**	Ala **bębni** w bęben.	**piękny** pies	**Bobry** budują tamy.
207 beast	208 to beat	209 beautiful	210 beaver

Płaczę, **dlatego że....**	**przemieniać się, przemienić się** Gąsienica **przemienia się** w motyla.	**łóżko**	**nocna lampa**
211 I am crying **because...**	212 to become	213 bed	214 bed lamp/reading light*

sypialnia	**Pszczoła** jest pożytecznym owadem.	**buk**	Pszczoły mieszkają w **ulu.**
215 bedroom	216 bee	217 beech	218 beehive

kufel piwa	**Buraki** rosną w ziemi.	**chrząszcz**	Myj ręce **przed** obiadem.
219 beer	220 beet/beetroot*	221 beetle	222 Wash your hands **before** dinner.
żebrać, wyżebrać	**zaczynać, zacząć**	Alicja **zachowuje się** dobrze.	Julia chowa się **za** drzewem.
	Zacznijmy od śniadania. Ania **zaczyna** lekcję pływania o 10 rano. *To begin with, let's have breakfast! Ania begins her swimming lesson at 10 o'clock.*		
223 to beg	224 to begin	225 to behave	226 behind
beżowy kolor	**Wierzę** w smoki.	**dzwon, dzwonek**	**pępek**
227 beige	228 I **believe** in dragons.	229 bell	230 belly button
On **należy** do mnie.	Kot siedzi **pod** stołem.	**pas, pasek**	**ława, ławka**
231 He **belongs** to me.	232 below	233 belt	234 bench
zakręt na drodze	**zginać, zgiąć**	**beret**	Jola stoi **przy** drzewie.
235 bend	236 to bend	237 beret	238 beside

poza, zresztą

Musisz zjeść coś innego **poza** lodami.
Zresztą, nie powinnaś jeść tak dużo słodyczy.

You should eat something else besides ice cream.
Besides, you should not eat so much sugar.

239　besides

najlepsza zawodniczka

240　best

lepiej

Zosia pisze **lepiej** od Tomka. Tomek jest leniwy, mógłby uczyć się **lepiej.**

Zosia writes better than Tomek.
Tomek is lazy, he could do better.

241　better

Filip chodzi **między** skałami.

242　between

śliniaczek

243　bib

rower

244　bicycle

duży, wielki ołówek

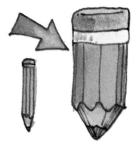

245　big

Adam ma **rower** wyścigowy.

246　bike

banknot

247　bill/banknote*

tablica ogłoszeń

248　billboard/hoarding*

Bilard jest grą.

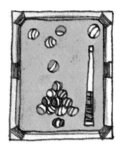

249　billiards/snooker*

wiązać, związać

250　to bind/tie up*

lornetka

251　binoculars

ptak

252　bird

narodziny, urodzenie

Przy **urodzeniu** Ania ważyła 7 funtów.
Narodziny nowej epoki.

Ania weighed seven pounds at birth.
The birth of a new era.

253　birth

Wszystkiego najlepszego z okazji **urodzin!**

254　birthday

sucharek

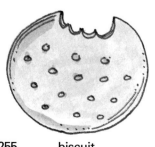

255　biscuit

Fredzio **ugryzł** kanapkę.

256　to bite

Fredzio ugryzł duży **kawałek.**

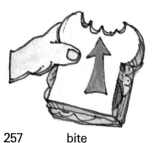

257　bite

gorzki, gorzka, gorzkie

Piwo jest **gorzkie.**
Ania wylewała **gorzkie** łzy, kiedy zgubiła ulubioną lalkę.

Beer has a bitter taste.
Ania wept bitter tears when she lost her favourite doll.

258　bitter

czarny kolor	**jeżyna**	**kos**	Narysuj to na **tablicy.**
259 black	260 blackberry	261 blackbird	262 blackboard

czarna porzeczka	**kowal**	**ostrze** szabli	**obwiniać, obwinić** Tata **obwinił** Anię, ale ona tego nie zrobiła. Tata powinien **obwinić** Czarka. *Dad blamed Ania, but she did not do it.* *Dad should blame Czarek.*
263 blackcurrant	264 blacksmith	265 blade	266 to blame

czysta kartka papieru	**koc**	**Wybuch** jest eksplozją.	**wysadzać, wysadzić** w powietrze
267 blank page	268 blanket	269 blast	270 to blast

Strażacy zgasili **ogień.**	**blezer, żakiet**	**Wybielacz** wybiela bieliznę.	Z nosa jej **leci krew.**
271 blaze	272 blazer	273 bleach	274 to bleed

mikser	**Niewidomy** nie widzi.	**mrugać, zamrugać**	**Pęcherze** są bolesne.
275 blender	276 blind	277 to blink	278 blister

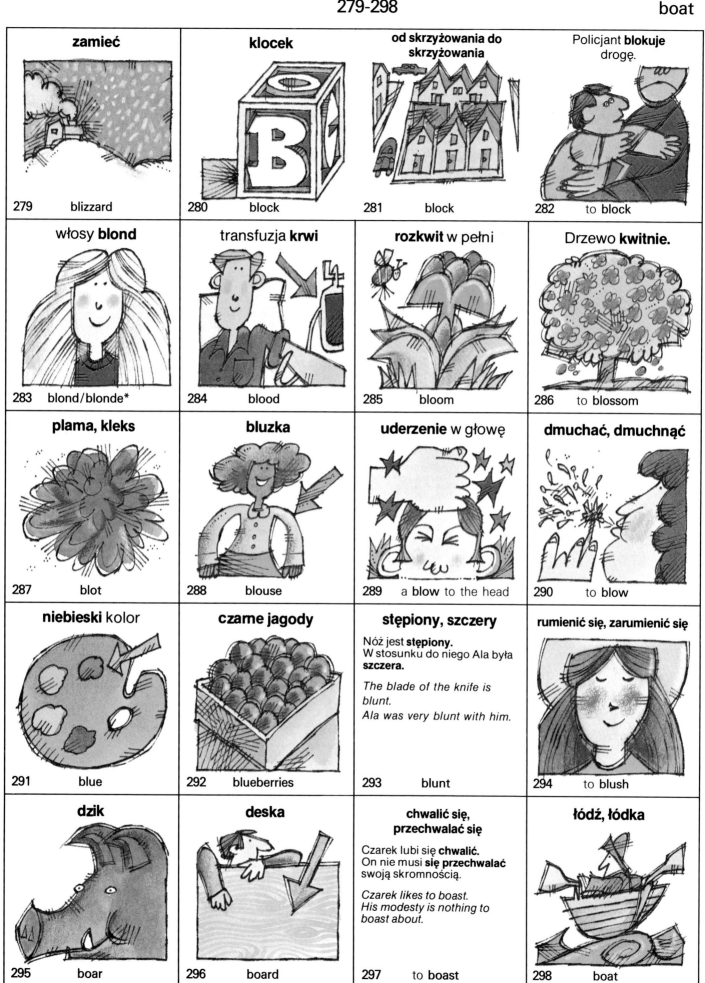

zamieć	**klocek**
279 blizzard	280 block

od skrzyżowania do skrzyżowania
281   block

Policjant blokuje drogę.
282   to block

włosy blond
283   blond/blonde*

transfuzja krwi
284   blood

rozkwit w pełni
285   bloom

Drzewo **kwitnie.**
286   to blossom

plama, kleks
287   blot

bluzka
288   blouse

uderzenie w głowę
289   a blow to the head

dmuchać, dmuchnąć
290   to blow

niebieski kolor
291   blue

czarne jagody
292   blueberries

stępiony, szczery

Nóż jest **stępiony.**
W stosunku do niego Ala była **szczera.**

The blade of the knife is blunt.
Ala was very blunt with him.

293   blunt

rumienić się, zarumienić się
294   to blush

dzik
295   boar

deska
296   board

chwalić się, przechwalać się

Czarek lubi się **chwalić.**
On nie musi **się przechwalać** swoją skromnością.

Czarek likes to boast.
His modesty is nothing to boast about.

297   to boast

łódź, łódka
298   boat

spinka do włosów

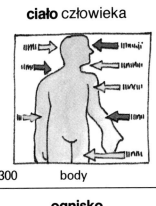

299   bobby pin/hairgrip*

ciało człowieka

300   body

gotować, ugotować

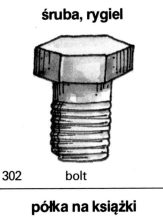

301   to boil

śruba, rygiel

302   bolt

kość dla psa

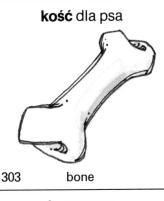

303   bone

ognisko

304   bonfire

książka

305   book

półka na książki

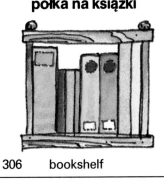

306   bookshelf

bumerang

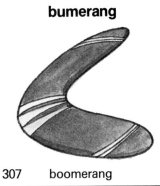

307   boomerang

kozak

308   boot

granica między państwami

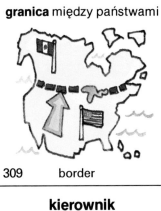

309   border

Trudno jest **wywiercić** dziurę w betonie.

310   to bore

urodzony, urodzona, urodzone

W którym roku się urodziłaś?
On jest **urodzonym** dowódcą.

What year were you born?
He is a born leader.

312   born

pożyczać, pożyczyć

Czy mogę **pożyczyć** trochę pieniędzy?
Ania często **pożycza** rower brata.

Can I borrow some money?
Ania often borrows her brother's bike.

313   to borrow

kierownik

314   boss

nudzić, zanudzić

Ania może **zanudzić** na śmierć.
Bolek mnie **nudzi**, bo za dużo gada.

Ania can bore people to death.
Bolek bores me because he talks too much.

311   to bore

i...i, zarówno...jak i...

I Ania **i** Tomek są mili.
Zarówno dziś **jak i** jutro.

Both Ania and Tomek are nice.
Both today and tomorrow.

315   both

butelka

316   bottle

otwieracz do butelek

317   bottle opener

dno akwarium

318   bottom

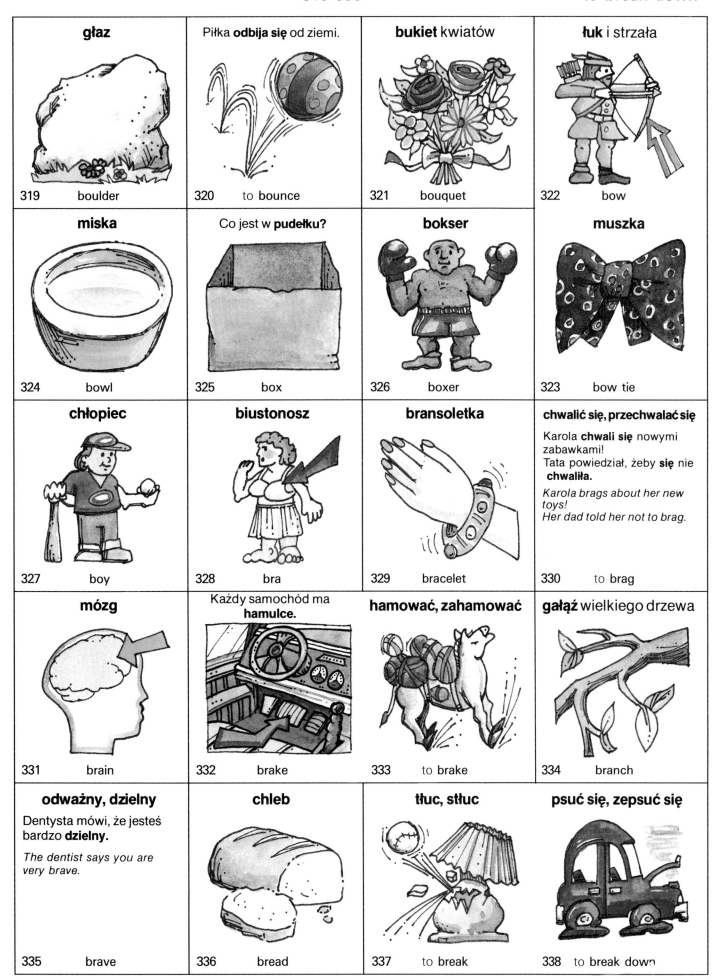

głaz

319   boulder

Piłka **odbija się** od ziemi.

320   to bounce

bukiet kwiatów

321   bouquet

łuk i strzała

322   bow

miska

324   bowl

Co jest w **pudełku?**

325   box

bokser

326   boxer

muszka

323   bow tie

chłopiec

327   boy

biustonosz

328   bra

bransoletka

329   bracelet

chwalić się, przechwalać się

Karola **chwali się** nowymi zabawkami!
Tata powiedział, żeby **się** nie **chwaliła.**

Karola brags about her new toys!
Her dad told her not to brag.

330   to brag

mózg

331   brain

Każdy samochód ma **hamulce.**

332   brake

hamować, zahamować

333   to brake

gałąź wielkiego drzewa

334   branch

odważny, dzielny

Dentysta mówi, że jesteś bardzo **dzielny.**

The dentist says you are very brave.

335   brave

chleb

336   bread

tłuc, stłuc

337   to break

psuć się, zepsuć się

338   to break down

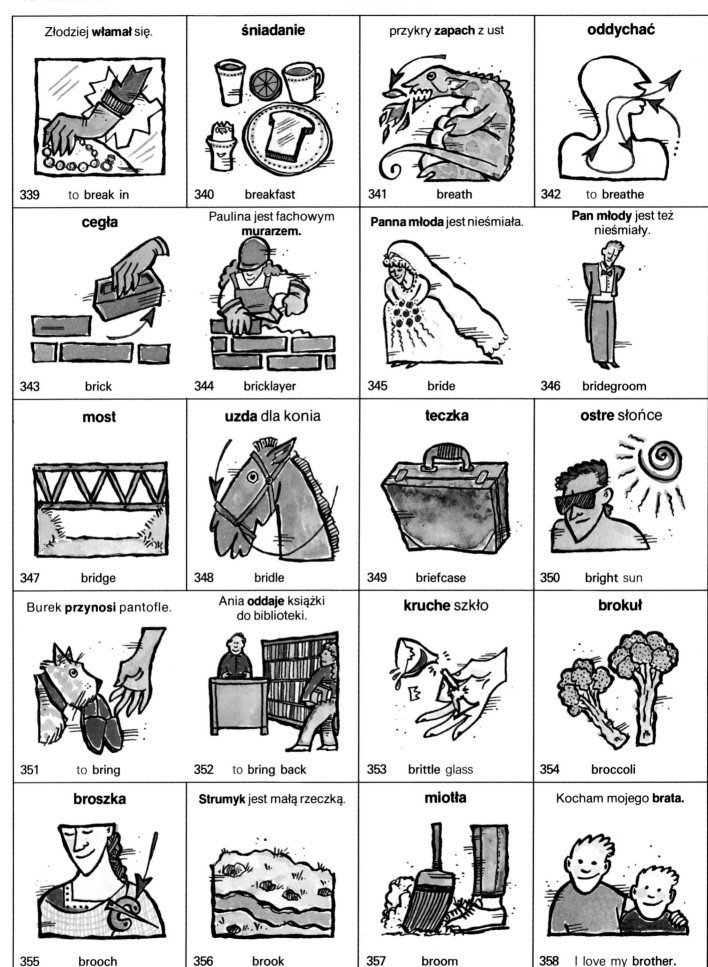

Złodziej **włamał** się.	**śniadanie**	przykry **zapach** z ust	**oddychać**
339 to break in	340 breakfast	341 breath	342 to breathe
cegła	Paulina jest fachowym **murarzem.**	**Panna młoda** jest nieśmiała.	**Pan młody** jest też nieśmiały.
343 brick	344 bricklayer	345 bride	346 bridegroom
most	**uzda** dla konia	**teczka**	**ostre** słońce
347 bridge	348 bridle	349 briefcase	350 bright sun
Burek **przynosi** pantofle.	Ania **oddaje** książki do biblioteki.	**kruche** szkło	**brokuł**
351 to bring	352 to bring back	353 brittle glass	354 broccoli
broszka	**Strumyk** jest małą rzeczką.	**miotła**	Kocham mojego **brata.**
355 brooch	356 brook	357 broom	358 I love my brother.

brew	**brązowy** kolor
359 brow	360 brown

Janek powinien **wyszczotkować** włosy.	**szczotka**
362 to brush	363 brush

To jest bolesny **siniak.**
361   bruise

brukselka
366   brussels sprouts

pędzel
364   paintbrush

szczoteczka do zębów
365   toothbrush

bańka mydlana
367   bubble

kubeł
368   bucket

klamerka
369   belt buckle

pączek
370   bud

bawół
371   buffalo

robak
372   bug

Żołnierz gra na **trąbce.**
373   bugle

budować, zbudować
374   to build

byk
375   bull

buldożer
376   bulldozer

Kule są niebezpieczne.
377   bullet

megafon
378   bullhorn/megaphone*

379 — Karol jest strasznym **tyranem.** — bully

380 — **guz** — bump

381 — **zderzaki** — bumpers

382 — **wiązka** szparagów — bunch

383 — **pęk** — bundle

384 — **boja** — buoy

385 — **włamywacz** — burglar

386 — Ognisko **pali się.** — to burn

387 — Balon **pękł.** — to burst

388 — **zakopywać, zakopać** — to bury

389 — **autobus** — bus

390 — **przystanek autobusowy** — bus stop

391 — **Krzak** jest mniejszy od drzewa. — bush

392 — Jestem teraz **zajęty.** — I am busy now.

393 — **ale, gdyby nie**
Chciałbym, **ale** jestem zajęta.
Paweł jest wysoki, **ale** jego siostra jest wyższa.
Gdyby nie ty, przegralibyśmy mecz.

I would like to, but I am busy.
Paweł is tall but his sister is taller.
But for you, we would have lost the game.
— but

394 — **rzeźnik** — butcher

395 — chleb z **masłem** — butter

396 — **motyl** — butterfly

397 — **guziki** — buttons

398 — Filip **kupuje** lody. — to buy

kapusta
399   cabbage

domek w lesie
400   cabin

szafka
401   cabinet

kabel
402   cable/lead*

kaktus
403   cactus

klatka
404   cage

tort
405   cake

kalkulator
406   calculator

kalendarz
407   calendar

cielę
408   calf

wołać, zawołać
409   to call

Ania jest zawsze **spokojna.**
412   She is **calm.**

wielbłąd
413   camel

aparat fotograficzny
414   camera

odwoływać, odwołać

W razie deszczu **odwołamy** piknik.
Ania **odwołała** wycieczkę do Zoo.

We will call off the picnic if it rains.
Ania has called off our trip to the zoo.

410   to call off

Oni sami **śpią w namiocie.**
415   to camp

obozowisko
416   campsite

puszka
417   can

dzwonić, zadzwonić
411   to call up/to phone*

otwieracz do puszek

418 can opener/tin* opener

Statki płyną wzdłuż **kanału**.

419 canal

kanarek

420 canary

świeca

421 candle

lichtarz

422 candlestick

cukierki

423 candy/sweets*

On chodzi o **lasce**.

424 cane/walking stick*

armata

425 cannon

Nic **nie** widzę.

426 I cannot see.

kajak

427 canoe

kantalupa

428 cantaloupe

Rzeka płynie przez **kanion**.

429 canyon

czapka

430 cap

przylądek

431 cape

peleryna

432 cape

wielka litera

433 capital

On jest **kapitanem** okrętu.

434 captain

łapać, złapać

435 to capture

samochód

436 car

Karawana jedzie przez pustynię.

437 caravan

karty
438   cards

tektura
439   cardboard

Pielęgniarka **opiekuje** się chorymi.
440   to care

On jest **nieostrożny.**
441   He is careless.

ładunek
442   cargo

goździk
443   carnation

Karnawał jest wielką zabawą.
444   carnival

stolarz
445   carpenter

dywan
446   carpet

wózek
447   carriage/pram*

marchewka
448   carrot

Pan Kowalski **nosi** za dużo.
449   to carry

wóz
450   cart

pudełko śrubek
451   carton

kroić, pokroić
452   to carve

skrzynia
453   case

Gotówka — to są pieniądze.
454   cash

nerkowce
455   cashew nuts

zamek
456   castle

kot
457   cat

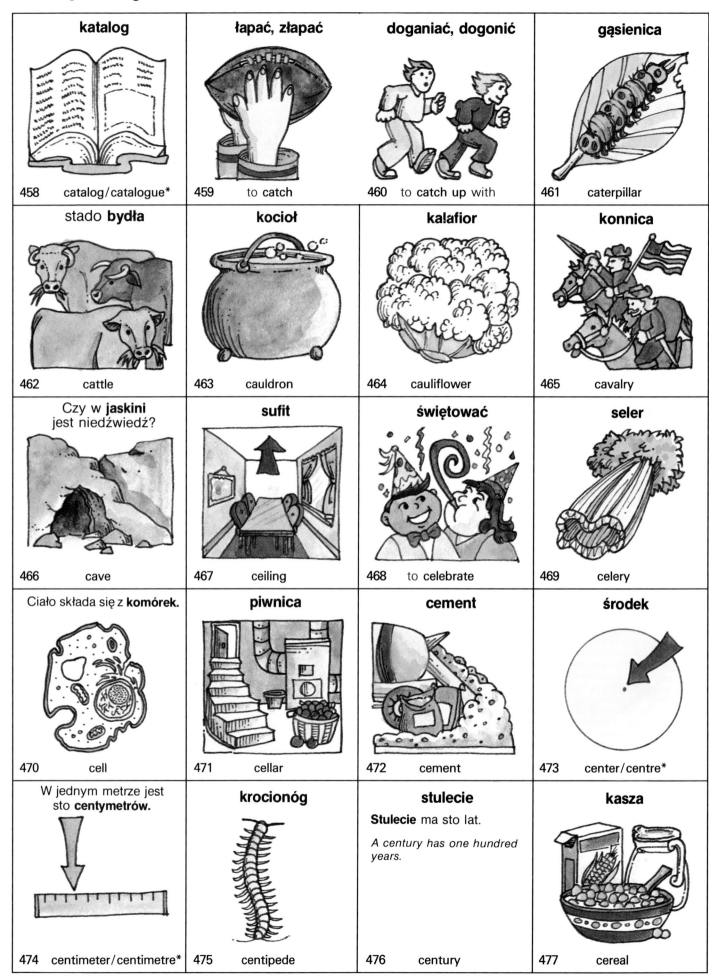

katalog	łapać, złapać	doganiać, dogonić	gąsienica
458 catalog/catalogue*	459 to catch	460 to catch up with	461 caterpillar

stado **bydła**	kocioł	kalafior	konnica
462 cattle	463 cauldron	464 cauliflower	465 cavalry

Czy w **jaskini** jest niedźwiedź?	sufit	świętować	seler
466 cave	467 ceiling	468 to celebrate	469 celery

Ciało składa się z **komórek.**	piwnica	cement	środek
470 cell	471 cellar	472 cement	473 center/centre*

W jednym metrze jest sto **centymetrów.**	krocionóg	stulecie	kasza
		Stulecie ma sto lat.	
		A century has one hundred years.	
474 centimeter/centimetre*	475 centipede	476 century	477 cereal

pewny, pewna, pewne Ania jest **pewna,** że ma rację. Ania ma **pewne** przeczucia co do Tadka. *Ania is certain that she is right.* *Ania has a certain feeling about Tadek.* 478 certain	**świadectwo** 479 certificate	**łańcuch** 480 chain	**piła elektryczna** 481 chainsaw
krzesło 482 chair	**kreda** 483 chalk	**mistrzyni** 484 champion	**Drobne** — to są pieniądze. 485 change
kanał 487 channel	Ta książka ma dużo **rozdziałów.** 488 chapter	**charakter, dziwaczka, litera** Ania ma silny **charakter.** Ona jest **dziwaczką.** Co znaczy ta **litera?** *Ania has a strong character.* *She is quite a character.* *What does this character mean?* 489 character	Karol **przebrał się.** 486 to change
węgiel drzewny 490 charcoal	**botwinka** 491 chard	**oskarżać, oskarżyć** Policja **oskarżyła** Wacka o kradzież. *The police charged Wacek with robbery.* 492 to charge	**rydwan** 493 chariot
wykres 494 chart	**gonić, dogonić** 495 to chase	**rozmawiać, porozmawiać** 496 to chat	**tani** ołówek, droga korona 497 **cheap** pencil, expensive crown

Grześ próbuje **ściągać.**

498   to cheat

sprawdzać, zostawić

Czy **sprawdziłaś** dziś pocztę?
Proszę **zostawić** płaszcz przy wejściu.

Did you check your mailbox this morning?
Check your coat at the entrance, please.

499   to check

policzek

500   cheek

Ser robi się z mleka.

501   cheese

czek

502   cheque*/check

czereśnie

503   cherries

naga **pierś**

504   chest

kasztan

505   chestnut

Zanim połkniesz jedzenie dobrze **je pogryź.**

506   to chew

groch włoski

507   chick peas

kura

508   chicken

ospa wietrzna

509   chicken-pox

Dowódca salutuje.

510   chief

dziecko

511   child

chłodny dzień

512   a chilly day

komin

513   chimney

szympans

514   chimpanzee

broda

515   chin

porcelana

516   china/crockery*

Gdzie drwa rąbią tam **wióry** lecą.

517   chip

Rzeźbiarz używa **dłuta**. 518 chisel	**szczypiorek** 519 chives	tabliczka **czekolady** 520 chocolate	Czy śpiewasz w **chórze?** 521 choir
dusić, udusić 522 to choke	Piotr **zakrztusił** się kością. 523 to choke on	Który mam **wybrać?** 524 to choose	Kucharz **sieka** cebulę. 525 to chop
pałeczki do jedzenia 526 chopsticks	Zderzak jest pokryty warstwą **chromu**. 527 chrome	**chryzantema** 528 chrysanthemum	**kawałek węgla** 529 a chunk/lump* of coal
Cygaro śmierdzi. 530 cigar	**Papierosy** szkodzą ci na zdrowie. 531 cigarette	**koło** 532 circle	**cyrk** 533 circus
Czy mieszkasz w dużym **mieście?** 534 city	**Mięczak** mieszka w muszli. 535 clam	**Klamra** trzyma dwie deski razem. 536 clamp	**klaskać, klasnąć** 537 to clap

klasa

538 classroom

Krab ma mocne **kleszcze.**

539 claw

---

glina

Z **gliny** robi się cegły.
Z **gliny** można również robić
garnki i talerze.

*Clay is used to make bricks.
You can also make pots and
dishes out of clay.*

540 clay

Ona jest **czysta.**

541 She is all **clean.**

Ciocia Basia **sprząta**
ze stołu.

542 to **clear**

---

urwisko

543 cliff

---

wspinać się na szczyt

544 to **climb**

---

klinika

545 clinic

---

obcinać, obciąć

546 to **clip**

---

zegar

547 clock

---

zamykać, zamknąć

548 to **close**

Czy masz porządek
w **szafie?**

549 closet/cupboard*

---

materiał, obrus, scierka

Ubranie jest z **materiału.**
Obrus leży na stole.
Mama wyciera talerze
ścierką.

*Clothes are made out of
cloth.
There is a tablecloth on the
table.
Mother uses a dishcloth to
wipe the dishes.*

550 cloth

---

ubrania

551 clothes

---

sznur do suszenia bielizny

552 clothes line

---

chmura

553 cloud

Czterolistna **koniczyna**
oznacza szczęście.

554 clover

---

pajac

555 clown

Ziemowit poluje z **maczugą.**

556 club

---

trop, pojęcie

Adam naprowadził policję na
trop złodziei.
Zosia nie ma **pojęcia** jak tam
dojechać.
Podpowiem ci.

*Adam led the police to a clue
about the robbers.
Zosia does not have a clue
how to get there.
I will give you a clue.*

557 clue

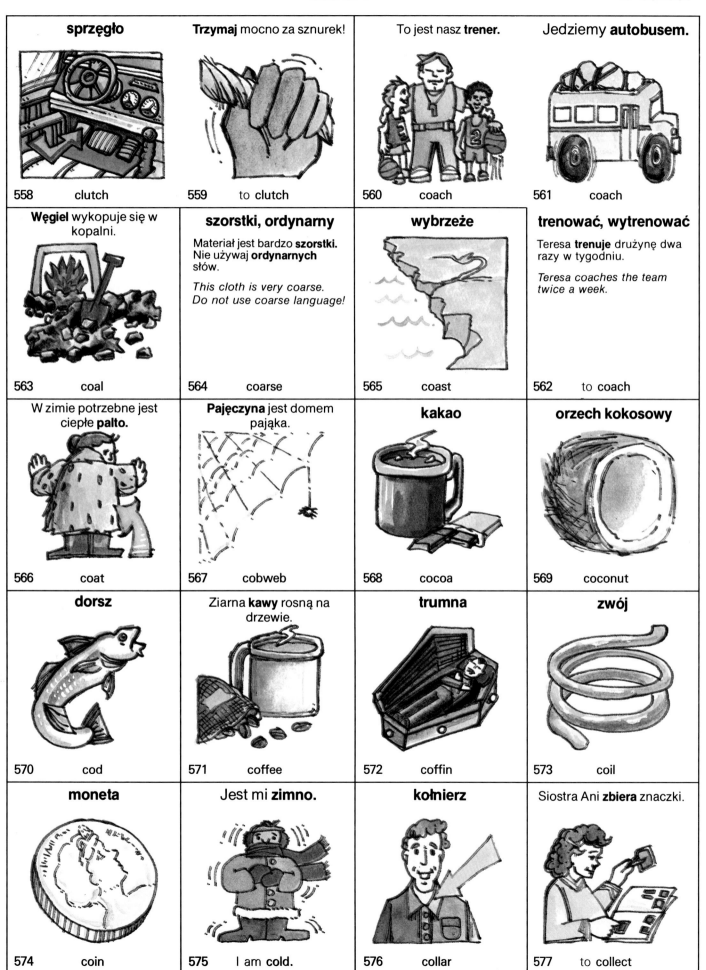

sprzęgło

558   clutch

Trzymaj mocno za sznurek!

559   to **clutch**

To jest nasz **trener.**

560   coach

Jedziemy **autobusem.**

561   coach

Węgiel wykopuje się w kopalni.

563   coal

szorstki, ordynarny

Materiał jest bardzo **szorstki.**
Nie używaj **ordynarnych** słów.

This cloth is very coarse.
Do not use coarse language!

564   coarse

wybrzeże

565   coast

trenować, wytrenować

Teresa **trenuje** drużynę dwa razy w tygodniu.

Teresa coaches the team twice a week.

562   to **coach**

W zimie potrzebne jest ciepłe **palto.**

566   coat

Pajęczyna jest domem pająka.

567   cobweb

kakao

568   cocoa

orzech kokosowy

569   coconut

dorsz

570   cod

Ziarna **kawy** rosną na drzewie.

571   coffee

trumna

572   coffin

zwój

573   coil

moneta

574   coin

Jest mi **zimno.**

575   I am **cold.**

kołnierz

576   collar

Siostra Ani **zbiera** znaczki.

577   to **collect**

W **wyższej szkole** uczą się dorośli.

578   college

Samochody **zderzają się**, gdy kierowcy usypiają nad kierownicą.

579   to collide

---

zderzenie

580   collision

Jaki jest twój ulubiony **kolor?**

581   color/colours*

---

kobyła i **źrebak**

582   colt

---

kamienne **kolumny**

583   column

---

grzebień

584   comb

---

czesać, uczesać

585   to comb

Wymieszaj je razem.

586   combine

---

przychodzić, przyjechać

Powiedz Robertowi, żeby **przyszedł** do domu.
Ania **przyjechała** na zabawę autobusem.
Czy **przychodzisz** tu często?
No powiedz!

Tell Robert to come home.
Ania came to the party by bus.
Do you come here often?
Come on, tell me.

587   to come

Klamka **wyleciała.**

588   to come off

On zemdlał, ale szybko **przyszedł do siebie.**

589   to come to

---

wygodny

590   comfortable

---

przecinek

591   comma

---

rozkazywać, rozkazać

592   to command

---

społeczeństwo

Mieszkamy w małym miasteczku.
W Domu Kultury jest basen.
Szkołę zbudowało całe **społeczeństwo.**

We live in a small community.
There is a pool at the community center.
Building the school was a community effort.

593   community

Tomek jest **kolegą** Tadka.

594   companion

Jestem w dobrym **towarzystwie.**

595   I am in good **company.**

---

porównywać, porównać

596   to compare

Mój **kompas** wskazuje Północ.

597   My **compass** points north.

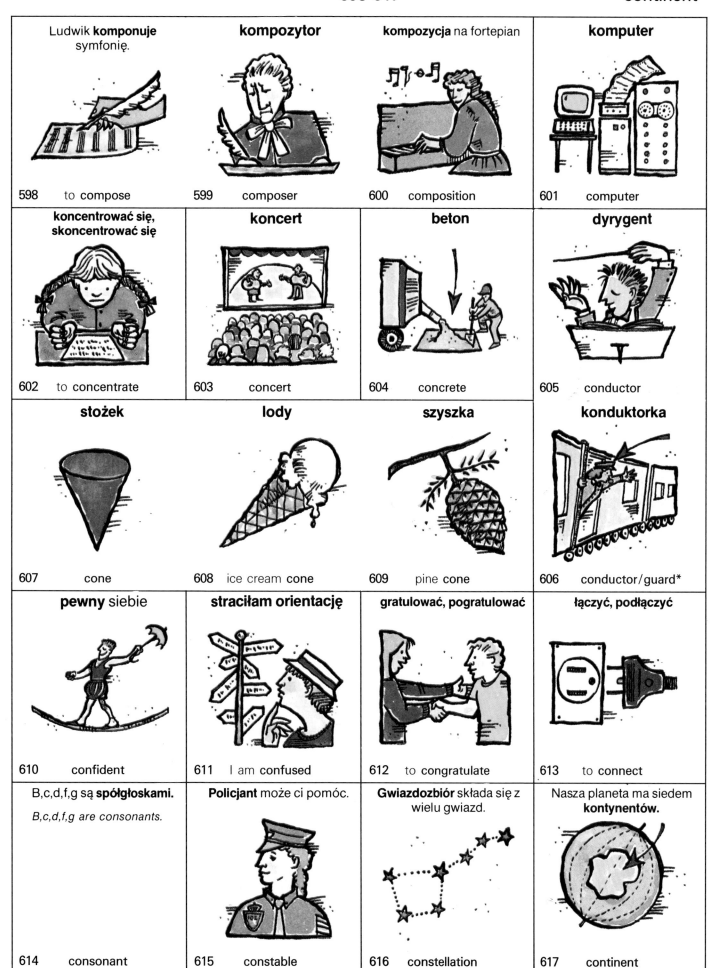

Ludwik **komponuje** symfonię.	**kompozytor**	**kompozycja** na fortepian	**komputer**
598 to compose	599 composer	600 composition	601 computer
koncentrować się, skoncentrować się	**koncert**	**beton**	**dyrygent**
602 to concentrate	603 concert	604 concrete	605 conductor
stożek	**lody**	**szyszka**	**konduktorka**
607 cone	608 ice cream **cone**	609 pine **cone**	606 conductor/guard*
pewny siebie	**straciłam orientację**	**gratulować, pogratulować**	**łączyć, podłączyć**
610 confident	611 I am confused	612 to congratulate	613 to connect
B,c,d,f,g są **spółgłoskami.** *B,c,d,f,g are consonants.*	**Policjant** może ci pomóc.	**Gwiazdozbiór** składa się z wielu gwiazd.	Nasza planeta ma siedem **kontynentów.**
614 consonant	615 constable	616 constellation	617 continent

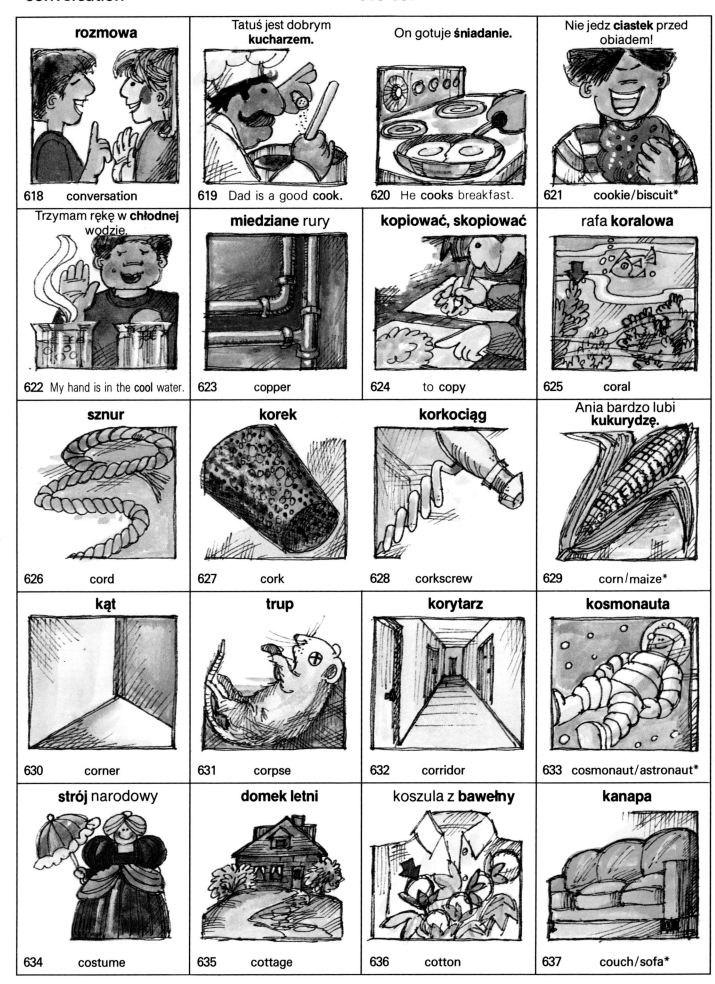

rozmowa

618 conversation

Tatuś jest dobrym **kucharzem.**

619 Dad is a good **cook.**

On gotuje **śniadanie.**

620 He **cooks** breakfast.

Nie jedz **ciastek** przed obiadem!

621 cookie/biscuit*

Trzymam rękę w **chłodnej** wodzie.

622 My hand is in the **cool** water.

miedziane rury

623 copper

kopiować, skopiować

624 to copy

rafa **koralowa**

625 coral

sznur

626 cord

korek

627 cork

korkociąg

628 corkscrew

Ania bardzo lubi **kukurydzę.**

629 corn/maize*

kąt

630 corner

trup

631 corpse

korytarz

632 corridor

kosmonauta

633 cosmonaut/astronaut*

strój narodowy

634 costume

domek letni

635 cottage

koszula z **bawełny**

636 cotton

kanapa

637 couch/sofa*

Zasłoń usta gdy **kaszlesz.**	**liczyć, policzyć**	**licznik**	Połóż to na **ladzie!**
638 to cough	639 to count	640 counter	641 counter

Czy byłeś na **wsi?**	To **państwo** — to Kanada.	Tata i mama są **parą.**	Trzeba mieć **odwagę** na walkę ze smokiem.
642 country	643 country	644 couple	645 courage

kort tenisowy	Moja **kuzynka** jest córką mojego wujka.	**przykrywać, przykryć**	Przykryj słój **pokrywką.**
646 court	647 My cousin is my uncle's daughter.	648 to cover	649 cover

krowa	Ten chłopiec jest **tchórzem.**	**kowboj**	**Kraby** mieszkają w morzu.
650 cow	651 This boy is a coward.	652 cowboy	653 crab

Na słoju widać **pęknięcie.**	**krakers**	**kołyska**	**żuraw**
654 crack	655 cracker	656 cradle	657 crane

dźwig

658   crane

rozbijać się, rozbić się

659   to crash

Co jest w **skrzynce?**

660   crate

czołgać się, przyczołgać się

661   to crawl

rak, langusta

662   crayfish

kredki świecowe

663   crayons

śmietanka, lody, krem

Tata lubi kawę ze **śmietanką.**
Lody są bardzo słodkie.
Krem do opalania chroni skórę.

Dad likes cream in his coffee.
Ice cream is very sweet.
Sun cream protects your skin.

664   cream

kant, fałda

665   crease

Co za dziwne **stworzenie!**

666   creature

Strumyk jest małą rzeczką.

667   creek

załoga

668   the crew

łóżeczko dziecinne

669   crib/cot*

świerszcz

670   cricket

przestępca

671   criminal

krokodyl

672   crocodile

Krokusy są oznaką wiosny.

673   crocus

Złodziej ukradł jabłko.

674   crook

krzywy słup

675   crooked post

krzywy obraz, prosta wieża

676   crooked painting, upright tower

ładny **plon**

677   crop

krzyż

678 cross

Popatrz, zanim **przejdziesz** przez ulicę.

679 to cross

przekreślać, przekreślić

680 to cross out

wrona

681 crow

tłum w małym pomieszczeniu.

682 A big crowd in a small space.

korona

683 crown

Książę Piotr **koronuje** nową królową.

684 to crown

okruszyna

685 crumb

On **gniecie** winogrona na wino.

686 to crush

Ania najlepiej lubi **skórkę.**

687 crust

kula

688 crutch

płakać, zapłakać

689 to cry

kryształowa kula

690 crystal

Niedźwiadek jest dzieckiem niedźwiedzia.

691 cub

sześcian

692 cube

kukułka

693 cuckoo

ogórek

694 cucumber

mankiet

695 cuff

filiżanka herbaty

696 cup

Słój stoi w **kredensie.**

697 cupboard

krawężnik

698   curb/kerb*

Wyleczyłem się.

699   I am cured.

Zuzanna **zakręca** włosy.

700   to curl

Teraz ma **kręcone** włosy.

701   curly

Ewa jest **ciekawa.**

702   curious

porzeczka

703   currant

silny **prąd** wody

704   current

firanki

705   curtains

zakręt

706   curve

poduszka

707   cushion

klient

708   customer

kroić, pokroić

709   to cut

Kasia jest **ładna.**

712   cute/sweet*

sztućce

713   cutlery

rower

714   cycle

przecinać, przeciąć drogę

710   to cut in

cylinder

715   cylinder

cymbały

716   cymbals

cyprys

717   cypress

Wytnij lalkę z papieru!

711   to cut out

Żonkil jest kwiatem wiosennym.	**sztylet**	**codzienna** gazeta	
718　daffodil	719　dagger	720　daily	
Krowy mieszkają w gospodarstwie **mlecznym.**	**stokrotka**	**tama** w poprzek rzeki	**uszkodzona** paczka
721　dairy	722　daisy	723　dam	724　damaged
wilgotne koszulki	**tańczyć, zatańczyć**	**tancerka**	**Mlecz** jest chwastem.
725　damp	726　to dance	727　dancer	728　dandelion
niebezpieczeństwo	Ania nie boi się **ciemności.**	**Strzałki** rzuca się do tarczy.	**tablica rozdzielcza**
729　danger	730　dark	731　dart	732　dashboard
To jest bardzo pamiętna **data**!	To jest moja **córka** Kasia.	początek pięknego **dnia**	**zdechła** mysz
733　date	734　daughter	735　the start of a nice **day**	736　dead mouse

Głuchy człowiek nie słyszy.

737   deaf

---

drogi, kochany, ojej

Lolek jest moim **drogim** przyjacielem.
Kochana Mamusiu, na kolonii jest wesoło!
Ojej, zapomniałem portfela.

Lolek is my dear friend.
Dear Mom, camp is fun!
Oh dear, I forgot my wallet.

738   dear

Grudzień jest ostatnim miesiącem roku.

739   December

---

decydować się, zdecydować

Ania nie może się **zdecydować się**, w co się ubrać.
Mamusia musi **zdecydować** za nią.

Ania cannot decide what to wear.
Mom may have to decide for her.

740   to decide

---

pokład okrętu

741   deck

Pirat Filip **dekoruje** choinkę.

742   to decorate

---

ozdoba, dekoracja

743   decoration

Marek nie pływa w **głębokim** końcu basenu.

744   deep end

W lesie są **sarny.**

745   deer

---

doręczać, doręczyć

746   to deliver

---

wginać, wgiąć

747   to dent

---

dentystka

748   dentist

---

dom towarowy

749   department store

---

pustynia

750   desert

Dlaczego **biurko** stoi na pustyni?

751   desk

---

deser

752   dessert

Potwór **niszczy** miasto.

753   to destroy

---

rodzaj **okrętu wojennego**

754   destroyer

---

detektyw

755   detective

Rano na liściach błyszczy się **rosa.**

756   dew

linia przekątna

757   diagonal

wykres

758   diagram

diament

759   diamond

Niemowlęta noszą **pieluszki.**

760   diaper / nappy*

Czy piszesz **pamiętnik?**

761   diary

Trzeba to sprawdzić w **słowniku.**

762   dictionary

umierać, umrzeć

763   to die

różnica

Wszyscy ludzie rodzą się równi, nie ma między nimi żadnej **różnicy.**
Jest duża **różnica** między nocą a dniem.

764   difference

różni ludzie

765   different people

kopać, wykopać

766   to dig

Wąż **trawi** słonia.

767   The snake **digests** an elephant.

Bardzo **ciemny** pokój.

768   dim

Ania ma dwa **dołeczki.**

769   dimple

łódka

770   dinghy

jadalnia

771   dining room

obiad

772   dinner

dinozaur

773   dinosaur

W tym **kierunku!**

774   direction

Tata wszedł w **błoto.**

775   dirt

On ma bardzo **brudne** spodnie.

776   dirty

Nie zgadzam się z panem.	Jabłko **znikło.**	nieszczęście, katastrofa	**odkrywać, odkryć**
777 to **disagree**	778 to **disappear**	779 **disaster**	780 to **discover**
dyskutować, przedyskutować	**choroba**	Ania jest w **przebraniu.**	Aniu, proszę zmyj **talerze.** Aniu, gdzie ty jesteś?
781 to **discuss**	782 **disease**	783 **disguise**	784 **dishes**
nieuczciwy człowiek	**woda do zmywania talerzy**	**nie lubić**	Tebletka **rozpuszcza** się w wodzie.
785 a **dishonest** person	786 **dishwater**	787 to **dislike**	788 to **dissolve**
odległość między drzewami	**odległe** drzewo	Mieszkam w tej **dzielnicy.**	Jacek kopie **rów.**
789 **distance** between two trees	790 a **distant** tree	791 **district**	792 **ditch**
skakać, skoczyć	**dzielić, podzielić**	**Kręci** mi **się w głowie.**	Muszę coś **zrobić**, żeby naprawić stołek.
793 to **dive**	794 to **divide**	795 I feel **dizzy.**	796 What shall I **do?**

dok	**doktor, lekarz**
797 dock	798 doctor
pies	**lalka**
799 dog	800 doll
delfin	**kopuła**
801 dolphin	802 dome
Osioł dźwiga ciężar.	**drzwi**
803 donkey	804 door
klamka	**sobowtór**
805 doorknob	806 double
ciasto	**Gołąb** jest symbolem pokoju.
807 dough	808 dove
Ania ma poduszkę z **puchu.**	**drzemać, zdrzemnąć się**
809 down	810 to doze
Tuzin to jest dwanaście sztuk.	Nie **ciągnij** torebki po podłodze.
811 dozen	812 to drag
smok	**ważka**
813 dragon	814 dragonfly
ściek	Bolek bardzo ładnie **rysuje.**
815 drain/plug hole*	816 to draw

Podnieść **most zwodzony!**

817   drawbridge

W **szufladzie** nie ma skarpetek Ani.

818   drawer

przyjemny **sen**

819   a nice dream

Śnią mi **się** owce.

820   I dream of sheep.

sukienka

821   dress

ubierać się, ubrać się

822   to dress

Może skarpetki Ani są w **szafce.**

823   dresser/chest of drawers*

ślinić się, poślinić się

824   to dribble

Nudno jest **płynąć z prądem** po oceanie.

825   to drift

Joasia **wierci** małe dziurki.

826   to drill

świder, wiertarka

827   drill

napój

828   drink

kapać, nakapać

830   to drip

Jeżdżę ostrożnie.

831   I drive carefully.

zwiariowany **kierowca**

832   crazy driver

pić, wypić

829   to drink

mżawka

Deszcz zamienia się w **mżawkę.**

The rain has become a light drizzle.

833   drizzle

ślinić się, poślinić się

834   to drool

jedna **kropelka**

835   drop

Nasz gość **upuścił** szklankę.

836   to drop

Wpadnij kiedy chcesz.
837　to drop in

Tata **zawozi** kota do weterynarza.
838　Dad drops off the cat at the vet.

On **odpadł** z wyścigu.
839　to drop out

Jestem **śpiący.**
840　I feel drowsy.

bęben
841　drum

sucha sukienka
842　dry

suszyć, wysuszyć
843　to dry

pralnia chemiczna
844　dry cleaner

Włóż mokrą bieliznę do **suszarki.**
845　dryer

księżna
846　duchess

kaczka
847　duck

Dawniej urządzano **pojedynki.**
848　duel

książę
849　duke

śmietnisko
850　dump

wyrzucać, wyrzucić
851　to dump

wywrotka
852　dumptruck/lorry*

Więzień długo siedział w **lochu.**
853　dungeon

zmierzch
854　dusk

kurz
855　dust

karzeł
856　dwarf

E

Każdy z nich ma marchewkę.

857 Each rabbit has a carrot.

Orły są pod ochroną, bo jest ich mało.

858 eagle

ucho

859 ear

poranne słońce

860 early

zarabiać, zasłużyć

Mamusia **zarabia** dobrze.
Ania **zasłużyła** na odpoczynek.
Należy **zarobić** zanim się wyda.

Mom earns a good wage.
Ania has earned a holiday.
You must earn it before you spend it.

861 to earn

planeta **Ziemia**

862 Earth

kopać **ziemię**

863 earth

trzęsienie ziemi

864 earthquake

sztaluga

865 easel

Wschód jest przeciwieństwem zachodu.

866 east

Pływać jest łatwo.

867 Swimming is **easy.**

jeść, zjeść

868 to eat

jeść śniadanie

869 to eat breakfast

jeść obiad

870 to **eat lunch**

jeść kolację

871 to eat dinner/supper*

Echo ... echo ...ooo

872 echo

zaćmienie słońca

873 eclipse

Drzewo jest na samej **krawędzi.**

874 The tree is at the **edge.**

węgorz

875 eel

Kura zniosła **jajko.**	**oberżyna**
876 egg	877 eggplant/aubergine*

osiem	**ósma** ryba
878 eight	879 eighth

gumka elastyczna

880   elastic

łokieć

881   elbow

wybory

W czasie **wyborów** wybiera
się rząd.
Kto wygrał **wybory?**

*Elections are held to choose
the government.
Who won the election?*

882   election

elektryk

883   electrician

elektryczność

884   electricity

słoń

885   elephant

winda

886   elevator/lift*

łoś

887   elk

wiąz

888   elm

Stefan **zawstydził** go.

889   to embarrass

obejmować, objąć

890   to embrace

haft

891   embroidery

krytyczna sytuacja

892   emergency

słój jest **pusty**

893   The jar is **empty.**

koniec drogi

894   This is the **end.**

Pewnego dnia przestaną
być **wrogami.**

895   enemies

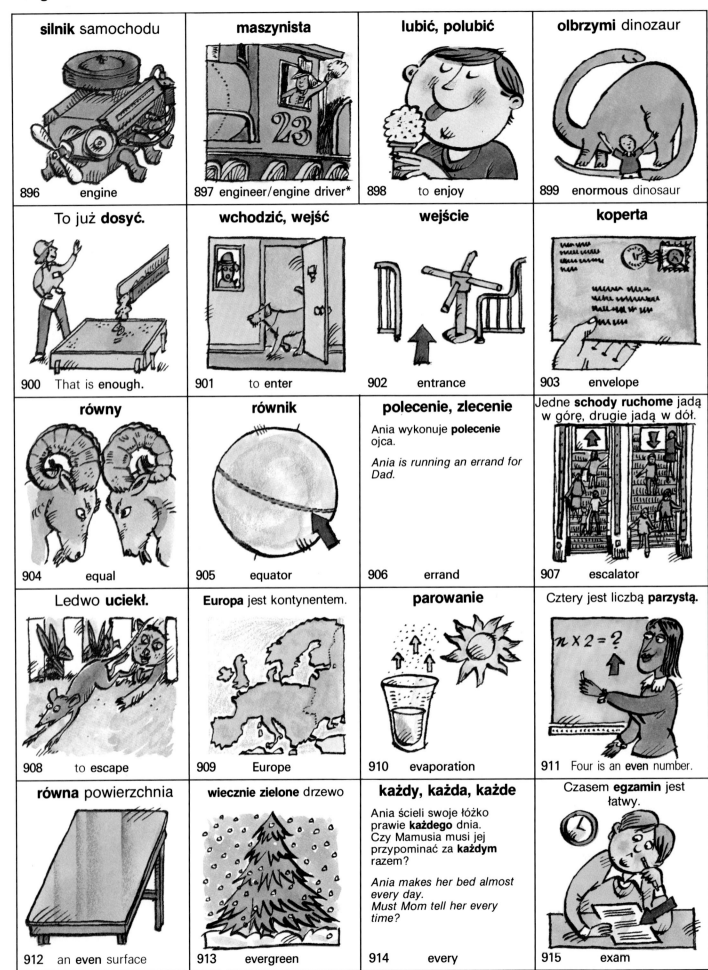

silnik samochodu

896   engine

maszynista

897 engineer/engine driver*

lubić, polubić

898   to enjoy

olbrzymi dinozaur

899 enormous dinosaur

To już **dosyć.**

900   That is **enough.**

wchodzić, wejść

901   to enter

wejście

902   entrance

koperta

903   envelope

równy

904   equal

równik

905   equator

polecenie, zlecenie

Ania wykonuje **polecenie** ojca.

Ania is running an errand for Dad.

906   errand

Jedne **schody ruchome** jadą w górę, drugie jadą w dół.

907   escalator

Ledwo **uciekł.**

908   to escape

Europa jest kontynentem.

909   Europe

parowanie

910   evaporation

Cztery jest liczbą **parzystą.**

$n \times 2 = ?$

911 Four is an **even** number.

równa powierzchnia

912   an **even** surface

wiecznie zielone drzewo

913   evergreen

każdy, każda, każde

Ania ścieli swoje łóżko prawie **każdego** dnia. Czy Mamusia musi jej przypominać za **każdym** razem?

Ania makes her bed almost every day. Must Mom tell her every time?

914   every

Czasem **egzamin** jest łatwy.

915   exam

badać, zbadać

916   to examine

przykład

Czasem Ania nie daje dobrego **przykładu.**
Dam ci **przykład,** żebyś lepiej zrozumiał.

Sometimes Ania doesn't set a good example.
Things are easier to understand when you give an example.

917   example

wykrzyknik

918   exclamation mark

Przepraszam!

919   Excuse me!

Kasia **gimnastykuje się.**

920   to exercise

istnieć

Istnieć to znaczy być.
Ania nie wierzy, że syreny **istnieją.**

To exist is to be.
Ania doesn't believe that mermaids exist.

921   to exist

wychodzić, wyjść

922   to exit/leave*

Balon **powiększa się.**

923   to expand

---

spodziewać się, żądać, oczekiwać

Spodziewamy się ciebie o drugiej.
Tata **żąda** żebyś był grzeczny.
Hanka nie może **oczekiwać** niczego więcej.

We expect you at two o'clock.
Dad expects you to be good.
Hanka cannot expect any more.

924   to expect

kosztowny zegarek

925   expensive

eksperyment, doświadczenie

926   experiment

znawca

927   expert

Ja ci to zaraz **objaśnię.**

928   to explain

badać, odkrywać

929   to explore

wybuch

930   explosion

gaśnica

931   extinguisher

---

oko

932   eye

brew

933   eyebrow

okulary

934   eyeglasses/spectacles*

rzęsa

935   eyelash

Bajka o mrówce i koniku polnym.

936 fable

twarz

937 face

fabryka

938 factory

Tomek **oblał** egzamin.

939 to fail

psuć się, zepsuć się

940 to fail

wesołe miasteczko

941 fair

Wróżka spełni twoje życzenie.

942 fairy

zaufanie, wiara

Mamy do ciebie **zaufanie.**
Ania powiedziała to w dobrej **wierze.**

We have faith in you.
Ania said it in good faith.

943 faith

Ten jest **sfałszowany.**

944 fake painting

Na **jesieni** opadają liście.

945 fall/autumn*

spadać, spaść

946 to fall

fałszywy alarm

949 false alarm

rodzina

950 family

upadać, przewracać się

947 to fall down

spadać, spaść z

948 to fall off

Marylka jest **słynną** gwiazdą.

951 famous actress

wiatrak

952 fan

eleganckie ubranie

953 fancy clothes

kieł

954 fang

Miasto jest bardzo **daleko.**
955   The city is **far** away.

Żegnajcie!
956   Farewell !

Nasze jedzenie pochodzi z **gospodarstwa rolnego.**
957   farm

rolnik
958   farmer

szybki zając
959   fast

Nigdy nie zapominaj o **zapięciu** pasa.
960   I **fasten** my seatbelt.

Henryk jest **otyły.**
961   fat

Trucizna jest **śmiertelna.**
962   fatal

ojciec
963   father

Kurek cieknie.
964   faucet/tap*

Czyja to jest **wina?**
965   Whose **fault** is it?

przysługa

Czy możesz mi zrobić **przysługę?**
Ania jest miła i lubi robić **przysługi** ludziom.

Can I ask you a favour?
Ania is nice and likes doing people favours.

966   favor/favour*

moje **ulubione** lody
967   favorite/favourite*

obawiać się najgorszego
968   to **fear** the worst

uczta
969   feast

To chyba ptak zgubił swoje **pióro.**
970   feather

Luty jest drugim miesiącem roku.
971   February

Ewa **karmi** dziecko.
972   to feed

Czuję się dobrze.
973   I **feel** well.

Jajka znosi **samiczka.**
974   female

płot	**zderzak**	**paproć**	**prom**
975　　fence	976　　fender/wing*	977　　fern	978　　ferry
festiwal	Paweł ma wysoką **gorączkę.**	Przyszło **mało** ludzi.	**pole**
979　　festival	980　　fever	981　　**Few** people came.	982　　field
Alicja jest **piąta.**	Oni są niegrzeczni i cały czas **się biją.**	**piłować, spiłować**	**wypełniać, wypełnić**
983　　fifth	984　　to fight	985　　to file	986　　to fill
film do aparatu	**brudna** świnia	Jest to **płetwa** rekina.	**napełniać, napełnić**
988　　film	989　　filthy	990　　fin	987　　to fill up
mandat za przekroczenie szybkości	Czuję się **świetnie.**	**palec**	**odcisk palca**
991　　fine	992　　I am fine.	993　　finger	994　　fingerprint

kończyć, skończyć

995　　to finish

Jodła ma igły.

996　　fir

---

ogień

997　　fire

---

wóz strażacki

998　　fire engine

---

schody awaryjne

999　　fire escape

---

fajerwerki

1000　　firecracker/banger*

---

strażak

1001　　firefighter

---

kominek

1002　　fireplace

---

mocny, stanowczy

Ania ma **mocny** uścisk dłoni.
Decyzja taty jest **stanowcza**.
Tomek musi go słuchać.

*Ania has a firm handshake.
Dad's decision is firm. Tomek
has to obey him.*

1003　　firm

---

pierwszy w kolejce

1004　　first

---

ryba

1005　　fish

łowić, złowić

1006　　to fish

---

haczyk na ryby

1007　　fishhook

---

pięść

1008　　fist

---

pięć

1009　　five

Czy myślisz, że on to
może **naprawić?**

1010　　to fix

---

flaga piracka

1011　　flag

---

płatki śniegu

1012　　flake

---

płomień

1013　　flame

Ptak **trzepoce** skrzydłami.

1014　　to flap

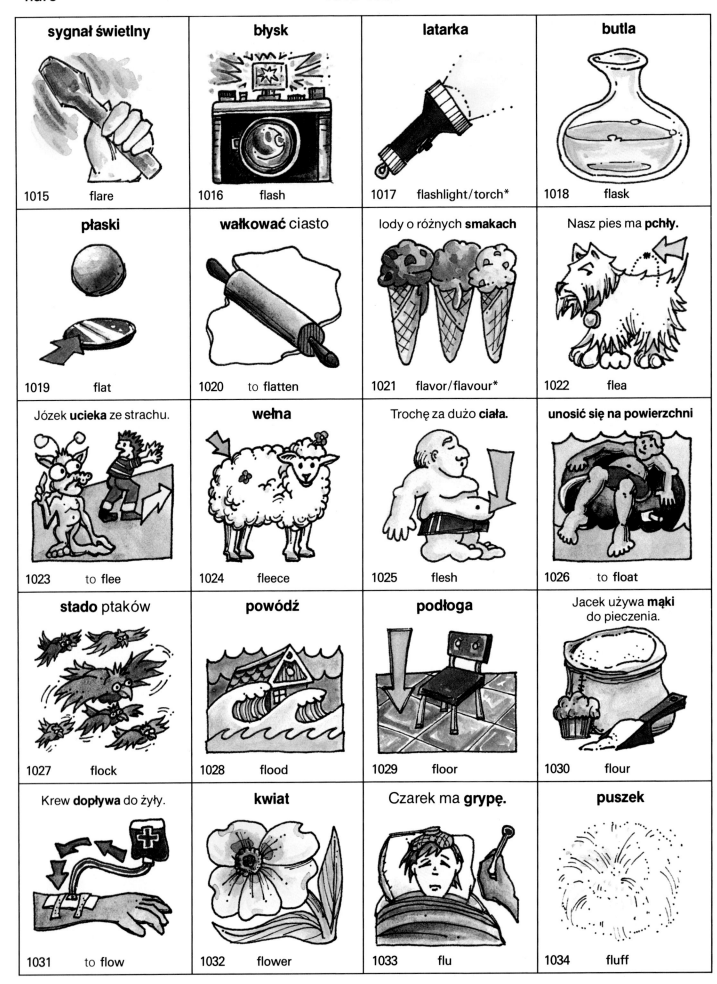

sygnał świetlny

1015   flare

błysk

1016   flash

latarka

1017   flashlight/torch*

butla

1018   flask

płaski

1019   flat

wałkować ciasto

1020   to flatten

lody o różnych **smakach**

1021   flavor/flavour*

Nasz pies ma **pchły.**

1022   flea

Józek **ucieka** ze strachu.

1023   to flee

wełna

1024   fleece

Trochę za dużo **ciała.**

1025   flesh

unosić się na powierzchni

1026   to float

stado ptaków

1027   flock

powódź

1028   flood

podłoga

1029   floor

Jacek używa **mąki** do pieczenia.

1030   flour

Krew **dopływa** do żyły.

1031   to flow

kwiat

1032   flower

Czarek ma **grypę.**

1033   flu

puszek

1034   fluff

Woda jest płynem.	**mucha**	Zapnij **rozporek!**	Ptaki i samoloty **latają.**
1035　fluid	1036　fly	1037　fly	1038　to fly
piana	We **mgle** dobrze nie widać.	**Złóż** to w ten sposób.	Ta gąska **chodzi za** Tomkiem wszędzie.
1039　foam	1040　fog	1041　to fold	1042　to follow
jedzenie, żywność	**stopa**	**football**	**ślad stopy** na śniegu
1043　food	1044　foot	1045　American football	1046　footprint
Słyszę za sobą **kroki.**	**za, na, dla**	**forsować, sforsować**	**czoło**
1047　footsteps	Jeden **za** wszystkich, wszyscy **za** jednego. **Na** lepsze i **na** gorsze. **Dla** ciebie jest ta książka. *One for all and all for one. For better or for worse. This book is for you.* 1048　for	1049　to force	1050　forehead
W **lesie** mieszkają zwierzęta.	**zapominać, zapomnieć**	**przebaczać, przebaczyć**	**widelec**
1051　forest	Nasz pies **zapomina** jak się nazywa. Tatuś **zapomniał** kupić mleko. **Zapomnij** o tym! *Our dog forgets his name. Dad forgot to buy milk. Forget it!* 1052　to forget	Ania **przebaczyła** pieskowi za to, że zjadł jej ulubioną lalkę. **Przebaczę** ci, jeśli obiecasz, że będziesz grzeczny. *Ania forgave her dog for eating her favorite doll. I'll forgive you if you promise to be good.* 1053　to forgive	1054　fork

podnośnik, dźwignik

1055   forklift

forma

1056   form/tailor's dummy*

Żołnierze znajdują się w **forcie.**

1057   fort

naprzód, śmiały

Idź **naprzód,** aż dojdziesz do drzwi frontowych.
Ania myśli, że on jest za **śmiały.**
Czy oczekujesz swoich urodzin?

Go forward until you reach the front door.
Ania thinks he is too forward.
Are you looking forward to your birthday?

1058   forward

Ta **skamieniałość** była kiedyś rybą.

1059   fossil

brzydki zapach

1060   foul odor/odour*

fundamenty domu

1061   foundation

fontanna

1062   fountain

chytry lis

1063   fox

Jedna ósma jest **ułamkiem.**

1064   fraction

Jajka są bardzo **delikatne.**

1065   fragile

rama

1066   frame

Czy ty też masz **piegi?**

1067   freckle

wolny ptak

1068   free

Sok pomarańczowy Atuka **zamarzł.**

1069   to freeze

zerwane **świeżo** z drzewa

1070   fresh

piątek

Piątek jest ostatnim dniem szkoły.

Friday is the last day of school.

1071   Friday

lodówka

1072   fridge

przyjaciele

1073   friends

Karolina ciągle go **straszy.**

1074   to frighten

żaba

1075   frog

Jestem **z** Marsa.

1076   I am **from** Mars.

przód

1077   front

Na oknie jest **szron**.

1078   frost

Dlaczego on **się marszczy?**

1079   to **frown**

Owoce są lepsze od cukierków.

1080   fruit

smażyć, usmażyć

1081   to fry

patelnia

1082   frying pan

Samochody potrzebują **paliwa.**

1083   Cars need **fuel.**

pełny kieliszek

1084   full

dobrze się bawić

1085   having **fun**

Fundusz na cele dobroczynne pomaga biednym.

1086   charity **fund**

Wszyscy poszli na **pogrzeb.**

1087   funeral

Wlej to przez **lejek.**

1088   funnel

śmieszny, śmieszna, śmieszne

Mamusia nie myśli, że to jest **śmieszne.**
Coś **śmiesznego** zdarzyło się po drodze do szkoły.

Mother does not think that is funny.
A funny thing happened on the way to school.

1089   funny

Futro w lecie?

1090   fur coat

piec

1092   furnace/boiler*

meble

1093   furniture

Bezpiecznik spalił się.

1094   fuse

Mruczek jest **puszystym** kotem.

1091   furry

Zawierucha jest to silny wiatr.

1095   gale

galeria sztuki

1096   gallery

Koń idzie stępem a potem **galopuje.**

1097   to gallop

Jurek lubi **gry.**

1098   game

Gąsior jest samcem gęsi.

1099   gander

banda złodziei

1100   gang

Ania ma **przerwę** między zębami.

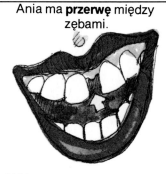

1101   gap

W **garażu** jest samochód.

1102   garage

śmieci

1103   garbage/rubbish*

wiadro na **śmieci**

1104   garbage can/rubbish bin*

ogród warzywny

1105   vegetable **garden**

płukać, wypłukać

1106   to gargle

Czosnek ma silny zapach.

1107   garlic

Podwiązka podtrzymuje pończochę.

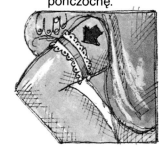

1108   garter

gaz

Balon był wypełniony **gazem.**
Niektóre **gazy** są lżejsze od powietrza.
Strażacy noszą maski przeciwgazowe.

The balloon was filled with gas.
Some gases are lighter than air.
Firemen wear gas masks against the smoke.

1109   gas

benzyna

1110   gas/petrol*

Pedał gazu powoduje przyspieszenie.

1111   gas pedal/accelerator*

pompa benzynowa

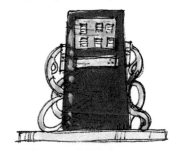

1112   gas/petrol pump*

stacja benzynowa

1113   gas/petrol station*

brama	Ona **zbiera** kwiatki.	**tryby**	**klejnot**
1114 gate	1115 to gather	1116 gears	1117 gem
generał	**szczodry** przyjaciel	**łagodny** człowiek	Tata jest prawdziwym **dżentelmenem.**
1118 general	1119 a **generous** friend	1120 a **gentle** person	1121 gentleman
prawdziwa świnia	Uczymy się **geografii.**	**pelargonia**	**myszka**
1122 a **genuine** pig	1123 geography	1124 geranium	1125 gerbil
Zarazki powodują choroby.	**Złap** tę mysz!	Chcę to **mieć z powrotem.**	Ania **wchodzi** powoli.
1126 germ	1127 **Get** that mouse!	1128 I want to **get** it **back.**	1129 to **get in** the pool
Ania **schodzi.**	potem **wchodzi**	Ania **wyrzuca** śmieci.	Najpierw ona **wstaje.**
1130 to **get off**	1131 to **get on**	1132 to **get rid of**	1133 to **get up**

Boisz się **duchów?**

1134 ghost

olbrzym

1135 giant

prezent, podarunek

1136 gift

olbrzymi wieloryb

1137 gigantic

chichotać się, zachichotać się

1138 to giggle

Ryba oddycha **skrzelami.**

1139 gills

Imbir jest przyprawą.

1140 ginger

smaczny **piernik**

1141 gingerbread

Wozy **cygańskie** są ciągle w ruchu.

1142 gipsy

Czy **żyrafa** naprawdę sięga wyżej od słońca?

1143 giraffe

dziewczynka

1144 girl

Ona **dała** Hani parasolkę.

1145 to give

lodowiec

1148 glacier

Jestem **zadowolony.**

1149 I am glad.

Okna są ze **szkła.**

1150 glass

Hania **oddała** parasolkę jak deszcz przestał padać.

1146 to give back

Czy nosisz **okulary?**

1152 glasses

ślizgać się, poślizgać się

1153 to glide

szklanka wody

1151 glass

Poddaję się!

1147 I give up!

Szybowiec jest samolotem bez silnika.

1154   glider

rękawiczki

1155   gloves

Klej to przykleił.

1156   glue

iść, pójść

1157   to **go**

Bramkarz pilnuje **bramki.**

1161   goal

Kozioł czy **koza?**

1162   goat

Gogle chronią oczy.

1163   goggles

On **schodzi** do pracy.

1158   to **go down**

sztaba **złota**

1164   gold

złota rybka

1165   goldfish

Wujek Janek gra w **golfa.**

1166   golf

Reks **wchodzi** do budy.

1159   to **go in**

Jedzenie jest **smaczne.**

1167   good

Do widzenia Mamusiu!

1168   Goodbye!

gęś

1169   goose

Jacek **wspina się** po łodydze fasoli.

1160   to **go up**

agrest

1170   gooseberry

Ona myśli, że ma **przepiękną** fryzurę.

1171   gorgeous

goryl

1172   gorilla

rządzić

Krajem **rządzi** rząd.
Nie jest łatwo **rządzić** krajem.

The government governs the country.
It is not easy to govern a country.

1173   to **govern**

rząd

Rząd wybierany jest przez ludzi.
Ojciec Ani, który jest admirałem, pracuje dla **rządu.**

The government is elected by the people.
Ania's Dad, the admiral, works for the government.

1174   government

On jej **zabrał** lody i za to będzie ukarany.

1175   to grab

On jest bardzo **wdzięczny.**

1176   He is very gracious.

Jestem w pierwszej **klasie.**

1177   grade / form*

Z **ziarna** robi się mąkę.

1178   grain

W kilogramie znajduje się 1000 **gramów.**

1179   gram

wnuk

1180   grandchild

dziadek

1181   grandfather

Babcia Ani lubi piec.

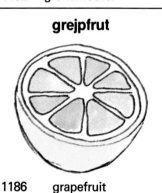

1182   grandmother

Granit jest twardym kamieniem.

1183   granite

dać, spełnić

Dam ci 10 dni wolnego.
Wróżka **spełni** twoje trzy życzenia.

I grant you ten days' leave of absence.
The good fairy will grant you three wishes.

1184   to grant

kiść winogron

1185   grapes

---

grejpfrut

1186   grapefruit

wykres

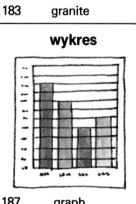

1187   graph

trawa

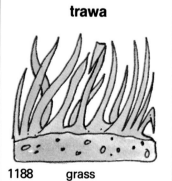

1188   grass

konik polny

1189   grasshopper

---

tarka

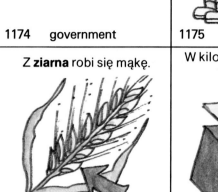

1190   grater

mogiła, grób

1191   grave

Obok drogi sypią **żwir.**

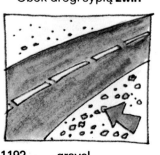

1192   gravel

Z powodu **siły ciężkości** jabłka spadają na ziemię.

1193 Gravity makes apples fall.

Krowy **pasą** się na polu.	**Smar** zapobiega skrzypieniu.	**wspaniała** zabawka	**chciwy** człowiek
1194 to **graze**	1195 **grease**	1196 a **great** toy	1197 **greedy**
zielony kolor	**zielona fasola**	**cieplarnia**	Tomek zawsze grzecznie **wita się** z paniami.
1198 **green**	1199 **green** bean	1200 **greenhouse**	1201 to **greet**
szary kolor	piec na **ruszcie**	**brudny** chłopiec	Lolek **uśmiecha się,** bo jest zadowolony.
1202 **grey*/gray**	1203 to **grill**	1204 **grimy**	1205 to **grin**
Mamusia **mieli** mięso na obiad.	**Trzymaj** mocno kierownicę.	**jęczeć, zajęczeć**	**Sklepikarz** daje wskazówki.
1206 to **grind**/to **mince***	1207 to **grip**	1208 to **groan**	1209 **grocer**
Panna młoda i **pan młody.**	**Stajenny** dba o konia.	Joasia **dba** o swój wygląd.	**kupować żywność**
1211 **groom**	1212 **groom**	1213 to **groom**	1210 shopping for **groceries**

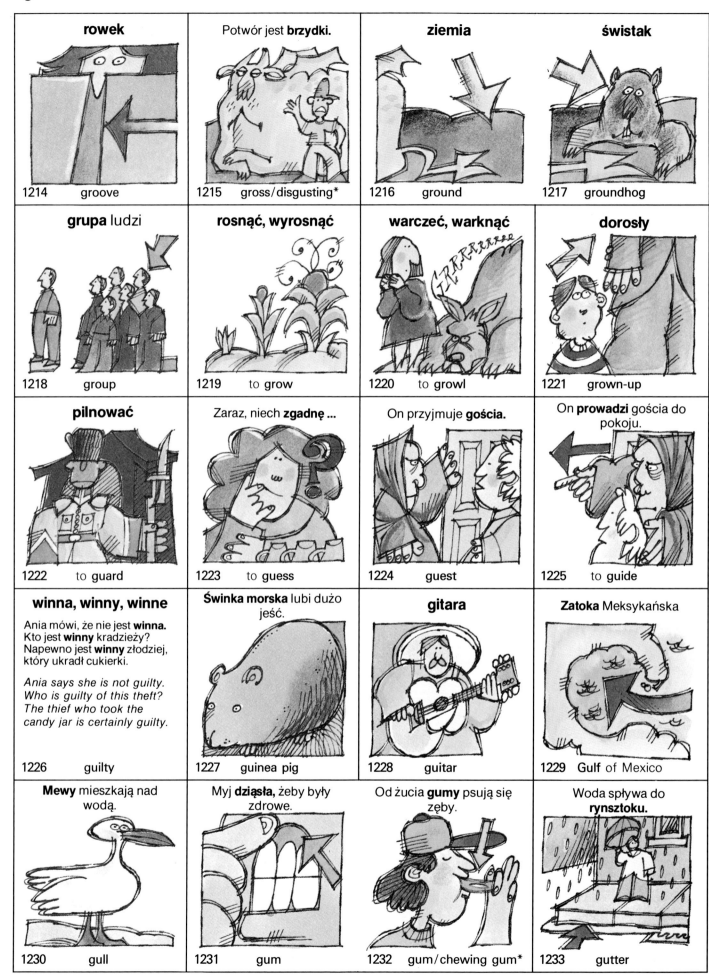

rowek

1214　　groove

Potwór jest **brzydki.**

1215　　gross/disgusting*

ziemia

1216　　ground

świstak

1217　　groundhog

grupa ludzi

1218　　group

rosnąć, wyrosnąć

1219　　to grow

warczeć, warknąć

1220　　to growl

dorosły

1221　　grown-up

pilnować

1222　　to guard

Zaraz, niech **zgadnę ...**

1223　　to guess

On przyjmuje **gościa.**

1224　　guest

On **prowadzi** gościa do pokoju.

1225　　to guide

winna, winny, winne

Ania mówi, że nie jest **winna.**
Kto jest **winny** kradzieży?
Napewno jest **winny** złodziej,
który ukradł cukierki.

Ania says she is not guilty.
Who is guilty of this theft?
The thief who took the
candy jar is certainly guilty.

1226　　guilty

Świnka morska lubi dużo jeść.

1227　　guinea pig

gitara

1228　　guitar

Zatoka Meksykańska

1229　　Gulf of Mexico

Mewy mieszkają nad wodą.

1230　　gull

Myj **dziąsła,** żeby były zdrowe.

1231　　gum

Od żucia **gumy** psują się zęby.

1232　　gum/chewing gum*

Woda spływa do **rynsztoku.**

1233　　gutter

	zły **nałóg**	**łupacz**	Nagle zaczął padać **grad.**
	1234 bad **habit**	1235 haddock	1236 hail

Siostra Ani ma gęste **włosy.**	**szczotka do włosów**	**fryzjer**	To nie jest mała **suszarka do włosów..**
1237 hair	1238 hairbrush	1239 hairdresser	1240 hairdryer

Czy chcesz drugą **połowę?**	**przedpokój**	**Wigilia Wszystkich Świętych**	**korytarz**
1241 half	1242 hall	1243 Halloween/Hallowe'en*	1244 hallway/corridor*

Żołnierz **zatrzymał** go.	**młotek**	Robert **przybił** gwóźdź.	**hamak**
1245 to halt	1246 hammer	1247 to hammer	1248 hammock

chomik	**ręka**	**dawać, rozdawać**	**ręczny hamulec**
1249 hamster	1250 hand	1251 to hand out	1252 hand brake

kajdanki

1253 handcuffs

upośledzenie

Ślepota jest **upośledzeniem.** Z **upośledzeniem** można sobie dać radę.

Being blind is a handicap. People can overcome any handicap.

1254 handicap

klamka

1255 handle

poręcz

1256 handrail

On myśli, że jest bardzo **przystojny.**

1257 handsome

majster do wszystkiego

1258 handy person

Powieś obraz prosto!

1259 to hang

trzymać się

1260 to hang on

hangar

1262 hangar

Powieś palto na **wieszaku.**

1263 hanger

chusteczka do nosa

1264 handkerchief

wieszać, powiesić

1261 to hang up

Wypadki **zdarzają się.**

1265 Accidents happen.

On jest **szczęśliwy.**

1266 He is happy.

Statek wpłynął do **portu.**

1267 harbor/harbour*

Cegły są bardzo **twarde.**

1268 hard

zając

1269 hare

Nie **krzywdź** zwierząt!

1270 to harm

organki, harmonijka ustna

1271 harmonica

Koń jest w **uprzęży.**

1272 harness

harfa	**ostra** zima	Jan **zbiera** plon.	**kapelusz**
1273 harp	1274 a **harsh** winter	1275 to **harvest**	1276 hat
Kurczątko **wylęgło się.**	**siekiera, topór**	Michał **ciągnie** ciężki worek.	dom w którym **straszy**
1277 to **hatch**	1278 hatchet	1279 to **haul**	1280 **haunted** house
Jola **ma** lalkę, którą chce Agata.	**jastrząb**	**siano** dla konia	Jest **mglisty** dzień.
1281 to **have**	1282 hawk	1283 hay	1284 Haze makes for a hazy day.
leszczyna	**orzech laskowy**	**głowa**	**Głowa mnie boli.**
1285 hazel	1286 hazelnut	1287 head	1288 I have a **headache.**
podgłówek	Złamana noga **goi się.**	**świeży** kwiat	**kupa** śmieci
1289 headrest	1290 to **heal**	1291 **healthy** flower	1292 heap/pile*

Słyszę głos.	**serce**	**grzać, podgrzać**	**grzejnik**
1293 I **hear** a voice.	1294 **heart**	1295 to **heat**	1296 **heater**/radiator*
podnosić, podnieść	**raj**	**ciężki** słoń	Czy wyrównałeś **żywopłot?**
1297 to **heave**	1298 **heaven**	1299 one **heavy** elephant	1300 **hedge**
Jeż nie jest jeżozwierzem.	**pięta**	**helikopter**	**piekło**
1301 **hedgehog**	1302 **heel**	1303 **helicopter**	1304 **hell**
cześć, czołem	przy **kole sterowym**	Żołnierz nosi **hełm.**	Mamusia Ani lubi **pomagać.**
1305 **hello**	1306 **helm**	1307 **helmet**	1308 to **help**
Niemowlę jest **bezradne.**	**rąbek, wykończenie**	**półkula**	**kura**
1309 **helpless**	1310 **hem**	1311 **hemisphere**	1312 **hen**

Siedmiokąt ma siedem boków.

1313   heptagon

zioła

1314   herbs

stado bydła

1315   herd

Chodź **tu!**

1316   Come here!

Pustelnik mieszka sam.

1317   hermit

bohater

1318   hero

bohaterka

1319   heroine

śledź

1320   herring

Paweł **waha się** przed wskoczeniem do wody.

1321   to hesitate

Sześciokąt ma sześć boków.

1322   hexagon

Niedźwiedzie **przesypiają** zimę.

1323   to hibernate

mieć czkawkę

1324   to hiccup/hiccough*

skóra zwierzęcia

1325   hide

chować się, schować się

1326   to hide

kryjówka

1327   hiding-place

wysoka góra

1328   a high mountain

wieżowiec

1329   highrise/tower block*

liceum

1330   high school/secondary school*

autostrada

1331   highway/motorway*

porwać samolot

1332   to hijack a plane

Na **pagórku** rośnie drzewo.

1333   hill

zawias

1334   hinge

tylne nogi

1335   hind legs

ręka na **biodrze**

1336   hand on **hip**

hipopotam

1337   hippopotamus

Uczę się **historii.**

1338   I study **history.**

Nie **uderz** się w palec!

1339   to **hit**

Pszczoły mieszkają w **ulu.**

1340   hive

gromadzić, zgromadzić

1341   to **hoard**

ochrypły głos

1342   **hoarse** voice

Ulubionym zajęciem mamy jest robienie na drutach.

1343   hobby

Mój brat gra w **hokeja.**

1344   hockey/ice hockey*

motyka

1347   hoe

Ania **trzyma** kota Tygrysa.

1348   to **hold**

Ania nie powinna **przygniatać** kota.

1349   to **hold down**

krążek do hokeja

1345   hockey puck

dziura

1350   hole

Wujek Jacek zasługuje na **wakacje.**

1351   holiday

Wiewiórki mieszkają w **spróchniałych** drzewach.

1352   **hollow** tree

kij do hokeja

1346   hockey stick

ostrokrzew z jagodami

1353   holly

W Indiach krowy uważane są za **święte.**

1354   a **holy** cow

Wiewiórki siedzą w **domu.**

1355   home

praca domowa

1356   homework

Czy on jest **szczery?**

1357   Is he **honest?**

Niedźwiedź lubi **miód.**

1358   honey

plaster miodu

1359   honeycomb

słodki melon

1360   honeydew melon

trąbić, zatrąbić

1361   to honk

Otrzymanie dyplomu jest **zaszczytem.**

1362   honor/honour*

Ania ma palto z **kapturem.**

1363   hood

Motor znajduje się pod **maską.**

1364   hood/bonnet*

Konie mają **kopyta.**

1365   hoof

hak

1366   hook

Skocz przez **koło!**

1367 jump through a **hoop**

skakać, skoczyć

1368   to hop

On **ma nadzieję,** że będzie pierwszy.

1369   I **hope** to win.

beznadziejny jeździec

1370   hopeless

gra w klasy

1371 hopscotch/hop-scotch*

Słońce jest nad **horyzontem.**

1372   horizon

pozioma pozycja

1373   horizontal

trąbka

1374   horn

waltornia

1375   French **horn**

róg

1376   horn

Szerszeń wbija żądło.

1377   hornet

koń

1378   horse

Chrzan jest ostry.

1379   horseradish

Podkowa przynosi szczęście.

1380   horseshoe

wąż do polewania

1381   hose

szpital

1382   hospital

Jest naprawdę **gorąco.**

1383   hot

pikantne jedzenie

1384   hot

W czasie podróży zatrzymujemy się w **hotelach.**

1386   hotel

Godzina ma 60 minut.

1387   hour

klepsydra

1388   hourglass

ostra papryka

1385   hot pepper

dom

1389   house

poduszkowiec

1390   hovercraft

Pokażę ci **jak** to robić.

1391   I will show you **how.**

wyć, zawyć

1392   to **howl**

kołpak	1393 hub cap
czarna jagoda	1394 huckleberry
gromadzić się, zgromadzić się	1395 to huddle
olbrzymi słoń	1396 huge
kadłub	1397 hull
koliber	1398 hummingbird
garb	1399 hump
sto	1400 hundred
Ona jest **głodna.**	1401 She is **hungry.**
polować, upolować	1402 to hunt
rzucać, rzucić	1403 to hurl
Skąd **huragany** biorą swoje nazwy?	1404 hurricane
spieszyć się, pospieszyć się	1405 to hurry
Boli mnie nadgarstek	1406 My wrist **hurts.**
mąż i żona	1407 husband
chatka	1408 hut
kredens	1409 hutch/sideboard*
hiacynt	1410 hyacinth
Chór śpiewa **hymn** narodowy.	1411 hymn
łącznik	1412 hyphen

łącznik

Czasem dwa słowa można połączyć **łącznikiem,** na przykład: to jest słownik angielsko-polski.

Sometimes two words can be joined by a hyphen. For example: this is an English-Polish dictionary.

kostki **lodu** w szklance

1413   ice

lody

1414   ice cream

Okręt może zderzyć się z **górą lodową.**

1415   iceberg

sople lodu

1416   icicle

lukier na torcie

1417   icing

Ona ma dobry **pomysł!**

1418   idea

identyczne, jednakowe

1419   identical twins

idiota

1420   idiot

bezczynny

1421   idle

jeśli

Jeśli przybijałbym coś młotkiem, to tylko wtedy gdy nikt nie śpi.
Zrób to dla mnie **jeśli** możesz.

If I had a hammer, I would only hammer when no one is sleeping.
Do it for me if you can.

1422   if

igloo

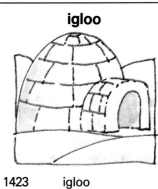

1423   igloo

klucz do **stacyjki**

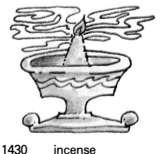

1424   ignition key

Paweł jest **chory** już od kilku dni.

1425   ill

oświetlać, oświetlić

1426   to illuminate

ilustracja

Obrazki w książce nazywają się **ilustracjami.**
Słownik ma dużo **ilustracji.**

1427   illustration

ważny, ważna, ważne

To jest **ważna** sprawa.
Co jest **ważne** dla Ani nie musi być **ważne** dla Jacka.

This is an important matter.
What is important to Ania may not be important to Jacek.

1428   important

w, z

Czy Tomek jest **w** domu?
Idź się utop!
Z czasem dowiemy się kto ukradł ciastka.

Is Tomek in?
Go jump in the lake!
In time, we will find out who took the cookie jar.

1429   in

kadzidło

1430   incense

W jednej stopie jest 12 **cali.**

1431   inch

indeks

Indeks znajduje się w końcu książki.
Indeks zawiera wszystkie słowa, które znajdują się w tym słowniku.

There is an index at the back of the book.
The index contains all the words in this dictionary.

1432   index

granatowy kolor

1433   indigo

w domu

1434   indoors

noworodek

1435   infant

Ciocia Stefcia ma **zakażenie.**

1436   infection

zaraźliwy, zakaźny

Jej stan jest **zaraźliwy.**
Można zachorować na **zakaźną** chorobę.
On ma **zaraźliwy** śmiech.

Her condition is infectious.
You could catch an infectious disease.
He has an infectious laugh.

1437   infectious

Ona **poinformowała** mnie o wypadku.

1438   to inform

Niedźwiedź **zamieszkuje** jaskinię.

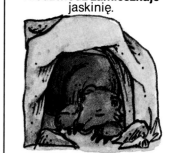

1439   The bear **inhabits** a cave.

Jakie są twoje **inicjały?**

1440   initials

Tomek dostaje **zastrzyk** w ramię.

1441   injection

skaleczenie

1442   injury

atrament

1443   ink

Mamy wiele rodzajów **owadów.**

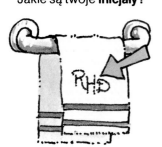

1444   insect

wewnątrz paczki

1445   inside

Stanowczo **nalegam,** żebyś się umył.

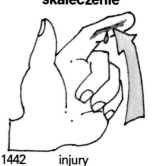

1446   to insist

badać, zbadać

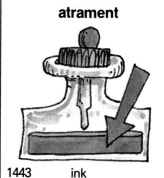

1447   to inspect

Zupę jedz łyżką **zamiast** widelcem.

1449   Use a spoon **instead** of a fork!

instrukcje, wskazówki

1450   instruction

nauczyciel

1451   instructor

inspektor

1448   inspector

izolacja

Izolacja mieści się w ścianach domu.
Izolacja chroni przed porażeniem elektrycznym.

There is insulation in the walls of the house.
Insulation protects one from electric shock.

1452   insulation

skrzyżowanie

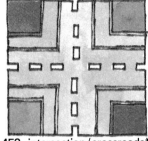

1453   intersection/crossroads*

rozmowa

1454   interview

Tomek wchodzi **do** pokoju.

1455   **into** the room

Małgosia ich **przedstawia.**

1456   to **introduce**

Wikingowie **najeżdżali** na inne kraje.

1457   to **invade**

Niektórzy zostali **inwalidami.**

1458   **invalid**

Czy on naprawdę **wynalazł** drzewa?

1459   to **invent**

---

niewidzialny człowiek

1460   **invisible**

Ania otrzymała **zaproszenie** na przyjęcie.

1461   **invitation**

On ją **zaprasza.**

1462   He is **inviting** her.

irys

1463   iris

Maciek **prasuje** spodnie.

1464   to **iron**

żelazko

1465   iron

żelazna maska

1466   **iron** mask

wyspa

1467   island

---

swędzenie

Ania dostała swędzącą wysypkę od chwastów.
Swędzenie przejdzie, jeżeli nie będzie się drapać.

Ania got a bad itch from poison ivy.
The itch will go away if she does not scratch.

1468   itch

swędzić

1469   to **itch**

Swędzi mnie.

1470   My skin is **itchy.**

Bluszcz pnie się po ścianie.

1471   ivy

J

Łukasz **szturchnął** mnie w bok.

1472　　to jab

Czy ta **marynarka** pasuje?

1473　　jacket

okładka **książki**

1474　　dust jacket

postrzępiony brzeg

1475　　jagged edge

więzienie

1476　　jail/gaol*

dżem truskawkowy

1477　　jam

On **zablokował** drzwi.

1478　　to jam

Styczeń jest pierwszym miesiącem roku.

1479　　January

słój

1480　　jar

Ten rekin ma **szczęki.**

1481　　jaw

dżinsy

1482　　jeans

łazik

1483　　jeep

galaretka na deser

1484　　jelly

motor **odrzutowca**

1485　　jet engine

odrzutowiec

1486　　jet plane

drogocenny **klejnot**

1488　　jewel

składanka

1489　　jigsaw puzzle

wykonywać **pracę**

1490　　doing a job

strumień wody

1487　　jet of water

Dżokej jeździ na koniu wyścigowym.

1491   jockey

biegać, biec

1492   to jog

Połącz razem dwa końce.

1493   to join

staw łokcia

1494   joint

Wujek Zbyszek myśli, że to jest doskonały **kawał.**

1495   joke

Sędzia wyda wyrok.

1496   judge

kuglarz

1497   juggler

świeży **sok** pomarańczowy

1498   juice

Lipiec jest siódmym miesiącem roku.

1499   July

skakać, skoczyć

1500   to jump

wskakiwać, wskoczyć do

1501   to jump in

wskakiwać, wskoczyć na

1502   to jump on

Maciek jest dobrym **skoczkiem.**

1503   jumper

princeska

1504   jumper/pinafore*

kable

1505   jumper cables/jump leads*

Czerwiec jest szóstym miesiącem w roku.

1506   June

W **dżungli** mieszkają tygrysy.

1507   jungle

dżonka chińska

1508   junk

Opadki to są śmieci.

1509   junk

dopiero co, tylko, sprawiedliwy

Ania **dopiero co** przyszła do domu.
Tylko trochę, dziękuję.
Sędzia jest **sprawiedliwy.**

Ania just got home.
Just a little, thanks,
The judge is a just person.

1510   just

kalejdoskop	kangur	kil
1511　kaleidoscope	1512　kangaroo	1513　keel

Reks lubi swoją **budę.**	**ziarno**	**czajnik**	**klucz**
1514　kennel	1515　kernel	1516　kettle	1517　key

kopać, kopnąć	To **dziecko** jest moim przyjacielem.	**Koźlę** jest dzieckiem kozy.	Tylko zbrodniarze **porywają** ludzi.
1518　to kick	1519　kid	1520　kid	1521　to kidnap

nerka	Myśliwy **zabił** lwa.	Gliniane garnki wypalają się w **piecu.**	1 **kilogram** ma 1000 gramów.
1522　kidney	1523　to kill	1524　kiln	1525　kilogram

1 **kilometr** ma 1000 metrów.	Mężczyźni w Szkocji noszą **szkockie spódniczki.**	Sukienka jest to **rodzaj** ubrania.	**uprzejma** dziewczynka.
1526　kilometer/kilometre*	1527　kilt	1528　A dress is a kind of garment.	1529　kind girl

król

1530   king

zimorodek

1531   kingfisher

kiosk z gazetami

1532   kiosk

wędzone śledzie

1533   kippers

całować, pocałować

1534   to kiss

Pocałuj mnie.

1535   kiss

kuchnia

1536   kitchen

puszczać **latawiec**

1537   kite

Kociątko urośnie i będzie dużym kotem.

1538   kitten

owoc **kiwi**

1539   kiwi

kolano

1540   knee

klękać, klęknąć

1541   to kneel

nóż

1542   knife

Czy potrafisz **zrobić** swetr **na drutach?**

1543   to knit

klamka od drzwi

1544   knob

pukać do drzwi

1545   to knock

węzeł

1546   knot

znać, wiedzieć

Czy **wiesz** co to znaczy?
Ania **zna** francuski.

Do you know what it means?
Ania knows some French.

1547   to know

kostka

1548   knuckle

Niedźwiadki Koala mieszkają w Australii.

1549   koala bear

L

Napis na **etykiecie** jest ostrzeżeniem.

1550   label

laboratorium

1551   laboratory

koronkowy kołnierz

1552   lace

drabina

1554   ladder

łyżka wazowa, chochla

1555   ladle

dama

1556   lady

Bolek **sznuruje** pantofle.

1553   to **lace**

biedronka

1557   ladybug/ladybird*

ciasteczka

1558   ladyfingers

Potwór kryje się w swoim **legowisku.**

1559   lair

Jeziora otoczone są lądem.

1560   lake

jagnię, baranek

1561   lamb

Koń ma **kulawą** nogę.

1562   lame

lampa

1563   lamp

latarnia

1564   lamp-post

lanca

1565   lance

ziemia, ląd

1566   land

lądować, wylądować

1567   to land

półpiętro

1568   landing

właściciel domu

Mieszkanie, w którym mieszkamy należy do **właściciela domu.** Komorne płacimy **właścicielowi domu.**

The apartment we live in belongs to our landlord. We pay our landlord rent every month.

1569   landlord

Niektóre szosy mają po kilka **pasów** dla samochodów.

1570   lane

język

Ile znasz **języków?**
Językiem rodzimym Ani jest polski.
Ania chce się nauczyć jeszcze jednego **języka.**

*How many languages do you speak?
Polish is Ania's first language.
Ania wants to learn another language.*

1571   language

latarka

1572   lantern

Dziecko siedzi na **kolanach.**

1573   lap

modrzew

1574   larch

smalec

1575   lard

duży człowiek

1576   large

skowronek

1577   lark

rzęsa oka

1578   lash

ostatni kawałek

1579   the last piece

Niektóre rzeczy **przetrwały.**

1580   Some things do last.

Proszę, zamknij drzwi na **haczyk.**

1581   to latch

Ludzie się denerwują, gdy się **spóźniasz.**

1582   You are late.

Pianę z mydła używa się do golenia.

1583   lather

śmiać się, uśmiać się

1584   to laugh

Szalupa zawiozła ludzi na brzeg.

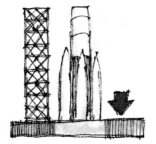

1585   launch

wypuszczać, wypuścić

1586   to launch

wyrzutnia

1587   launchpad

brudna bielizna

1588   laundry/washing*

Karolina niesie bieliznę do **pralni.**
1589   laundry/launderette*

lawenda
1590   lavender

Prawo jest jednakowe dla wszystkich.
1591   Obey the **law!**

Skosiłeś **trawę?**
1592   lawn

układać płytki
1594   to **lay** tiles

warstwa na **warstwie**
1595   **layer** upon **layer**

On jest **leniwy.**
1596   He is **lazy.**

kosiarka
1593   lawn mower

Wicek **prowadzi** konia.
1597   to **lead**

przywódca grupy
1598   leader

liść
1599   leaf

Ten kubełek **przecieka.**
1600   to **leak**

przechylona wieża w Pizie
1601   to **lean**

Uczę się czytać.
1602   I **learn** to read.

smycz
1603   leash/lead*

Pantofle są ze **skóry.**
1604   Shoes are made of **leather.**

Zostawię to tu.
1605   to **leave**

Tadek **odchodzi.**
1606   to **leave**

parapet
1607   **ledge** of a window

por
1608   leek

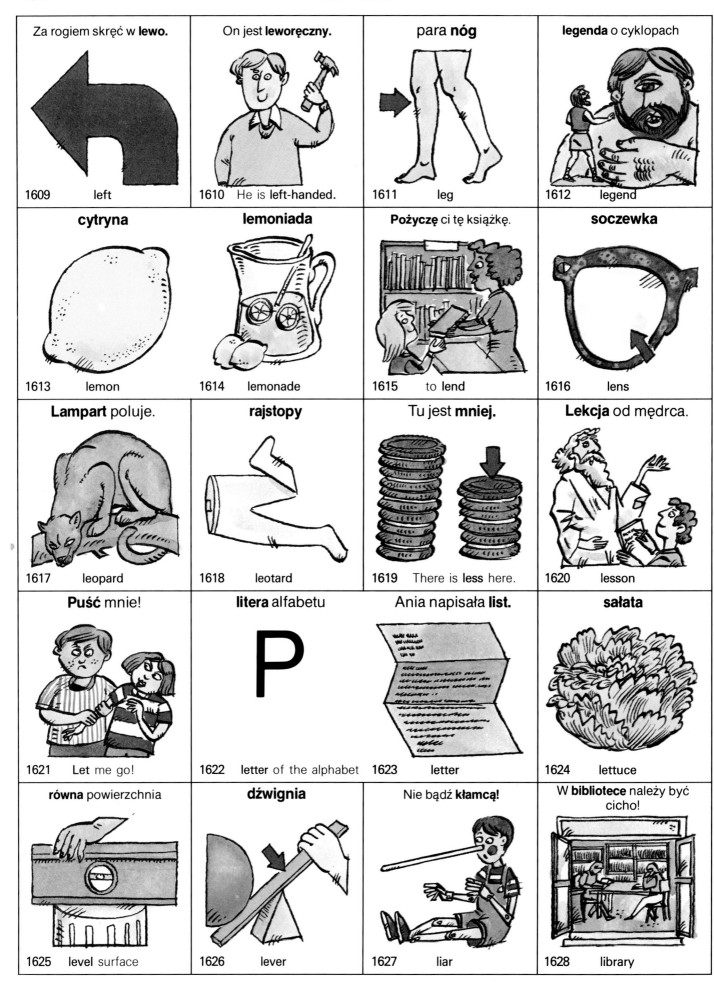

Za rogiem skręć w **lewo.**	On jest **leworęczny.**	para **nóg**	**legenda** o cyklopach
1609 left	1610 He is left-handed.	1611 leg	1612 legend
cytryna	**lemoniada**	**Pożyczę** ci tę książkę.	**soczewka**
1613 lemon	1614 lemonade	1615 to lend	1616 lens
Lampart poluje.	**rajstopy**	Tu jest **mniej.**	**Lekcja** od mędrca.
1617 leopard	1618 leotard	1619 There is **less** here.	1620 lesson
Puść mnie!	**litera** alfabetu	Ania napisała **list.**	**sałata**
	P		
1621 Let me go!	1622 letter of the alphabet	1623 letter	1624 lettuce
równa powierzchnia	**dźwignia**	Nie bądź **kłamcą!**	W **bibliotece** należy być cicho!
1625 level surface	1626 lever	1627 liar	1628 library

tabliczka rejestracyjna

1629   licence plate/number plate*

lizać, polizać

1630   to lick

wieczko słoja

1631   lid

Można poznać, że on **kłamie.**

1632   to lie

Życie tego dziecka właśnie zaczęło się.

1634   life

łódź ratunkowa

1635   lifeboat

podnosić, podnieść

1636   to lift

kłaść się, położyć się

1633   to lie down

Zapal lampę!

1637   light/table lamp*

Tata **zapala** świecę.

1638   to light

żarówka

1639   lightbulb

Ona **zmniejsza** jego ładunek.

1640   She **lightens** the load.

latarnia morska

1641   lighthouse

piorun

1642   lightning

piorunochron

1643   lightning rod

Ewa **lubi** swojego kota.

1644   to like

chyba, prawdopodobnie

Chyba Zosia jutro nie przyjedzie.
Prawdopodobnie przegrają.

Zosia is not likely to come tomorrow.
They are likely to lose.

1645   likely

Bez kwitnie na wiosnę.

1646   lilac

lilia

1647   lily

gałąź drzewa

1648   limb

limona

1649　lime

granica

Maksymalna szybkość jest 50 km na godzinę.
Dobroć Józka nie ma **granic.**

*The speed limit is 50 kilometres per hour.
There's no limit to Józek's kindness.*

1650　limit

Nasz sąsiad **kuleje.**

1651　to limp

Czy potrafisz narysować prostą **linię?**

1652　line

bielizna pościelowa

1653　linen

statek oceaniczny

1654　liner

Moja kurtka jest na ciepłej **podszewce.**

1655　lining

łączyć, połączyć

1656　to link

pył

1657　lint

lew

1658　lion

wargi, usta

1659　lips

szminka, pomadka

1660　lipstick

Woda i mleko są **płynami.**

1661　liquid

spis rzeczy do wykonania

1662　list

One **słuchają.**

1663　They are listening.

litr

1664　liter/litre*

Nie **śmieć.**

1665　to litter

małe jabłko

1666　a little apple

mieszkać, żyć

Ania **mieszka** w mieście.
Ciocia Basia **żyła** 70 lat.
Trudno by było **żyć** na księżycu.

*Ania lives in the city.
Aunt Basia lived 70 years.
It would be difficult to live on the moon.*

1667　to live

żywa dziewczynka

1668　lively

salon

1669   living room/lounge*

jaszczurka

1670   lizard

Tomek **ładuje** armatę.

1671   to load

Oni **ładują** ciężarówkę.

1672   to load

świeży **bochenek** chleba

1673   loaf

pożyczać, pożyczyć

Czarek **pożyczył** Ani trochę pieniędzy, bo wydała wszystko co miała.

Czarek loaned Ania some money, because she had spent all that she had.

1674   to loan/lend*

homar

1675   lobster

Czy **zamknąłeś** drzwi?

1676   to lock

lokomotywa

1678   locomotive

szarańcza

1679   locust

Domek wypoczynkowy dla narciarzy znajduje się w górach.

1680   lodge/chalet*

Zamek jest w drzwiach.

1677   lock

poddasze

1681   loft

kłoda

1682   log

lizak

1683   lollipop

samotny chłopiec

1684   lonely

Żyrafa ma **długą** szyję.

1685   long

patrzeć, popatrzeć

1686   to look

Ania tka szalik na **krosnach.**

1687   loom

pętla na powrozie

1688   loop

Pasek jest za **luźny.**

1689 loose

Antoś **zgubił** rękawiczkę.

1690 to lose

Krem ochrania przed słońcem.

1691 lotion

Julię bolą uszy od **głośnej** muzyki.

1692 loud

głośnik, megafon

1693 loudspeaker

odpoczywać, odpocząć

1694 to lounge

miłość

Miłość jest bardzo ważna. Ania mówi, jeśli masz **miłość,** to masz wszystko.

Love is very important. Ania says that if you have love, you have everything.

1695 love

Kochamy się.

1696 to love

piękna kobieta

1697 lovely

niska gałąź

1698 low branch

opuszczać, opuścić

1699 to lower

mieć szczęście

Karol **ma szczęście,** że wysłali go na kolonię. Ojciec Tomka **ma szczęście** do interesów.

Karol was lucky to be sent to camp. Tomek's father is lucky in business.

1700 lucky

bagaż

1701 luggage

Letnia woda nie jest ani gorąca ani zimna.

1702 lukewarm water

Mama śpiewa **kołysankę,** żeby uśpić dziecko.

1703 lullaby

deski

1704 lumber/timber*

guz

1705 lump

nie duży **obiad**

1706 lunch

śniadaniówka

1707 lunchbox

Zdrowe **płuca** są bardzo ważne.

1708 lung

M

czasopismo, magazyn

1709 magazine

Czerwie nie są ładne.

1710 maggot

To są niezwykłe **czary.**

1711 magic

magnes

1713 magnet

Co to za **wspaniała** szata.

1714 magnificent

szkło powiększające

1715 magnifying glass

magik, czarodziej

1712 magician

sroka

1716 magpie

wysyłać, wysłać pocztą

1717 to mail/post*

listonosz

1718 mail carrier/postman*

Co **robi** Leszek?

1719 to make

Dorota nałożyła **makijaż.**

1720 makeup

samiec i samica

1721 male

młotek

1722 mallet

mężczyzna i kobieta

1723 man

mandarynka

1724 mandarin

mandolina

1725 mandolin

Grzywa są to długie włosy na szyi konia.

1726 mane

Mango jest bardzo słodkim owocem.

1727 mango

On **umie się** dobrze **zachowywać.** 1728 He has good manners.	**dużo** jabłek 1729 many	**mapa** 1730 map	posąg z **marmuru** 1731 marble
maszerować, pomaszerować 1733 to march	**Marzec** jest trzecim miesiącem roku. 1734 March	**Kobyła** to jest samica konia. 1735 mare	szklane **kulki do gry** 1732 marbles
nagietek 1736 marigold	**Zaznacz** poprawną odpowiedź. 1737 to mark	Otrzymałaś doskonałe **oceny.** 1738 mark	Można to kupić na **rynku.** 1739 market
wychodzić za mąż, wyjść za mąż, żenić się, ożenić się 1740 to marry	**bagno** 1741 marsh	Ania zawsze pomaga mamie **ubijać** ziemniaki. 1742 to mash potatoes	To jest tylko **maska.** 1743 mask
masa 1744 mass	Każda żaglówka ma **maszt.** 1745 mast	Aniela **opanowała** sztukę jazdy na rowerze. 1746 to master	**partia** tenisa 1747 match

Nie wolno bawić się zapałkami!

1748 match

matematyka

1749 mathematics

sprawa

Oszukiwanie na egzaminie jest poważną **sprawą**.

Cheating on the exam is a serious matter.

1750 matter

materac

1751 mattress

Maj jest piątym miesiącem roku.

1752 May

może

Może Ania powinna zostać w domu.
Może mama wie.
Odpowiedź nie jest ani „tak" ani „nie" tylko „**może**".

Maybe Ania should stay home.
Maybe, mother knows.
The answer is neither "yes" or "no", but "maybe".

1753 maybe

burmistrz

1754 mayor

Łatwo się zgubić w **labiryncie.**

1755 maze

Na **łące** rosną kwiatki i trawa.

1756 meadow

świergotek

1757 meadowlark

posiłek

1758 meal

zły człowiek

1759 mean person

Dwie z moich koleżanek chorują na **odrę.**

1760 measles

mierzyć, zmierzyć

1761 to measure

mięso

1762 meat

mechanik

1763 mechanic

Krysia zdobyła **medal** za odwagę.

1764 medal

Lekarstwa leczą.

1765 medicine

średnia kula

1766 medium

spotykać, spotkać

1767 to meet

Nauczyciele są na **zebraniu.**	**melon**	Lód **topi się.**	Nasz klub ma czterech **członków.**
1768 meeting	1769 melon	1770 to melt	1771 Our club has four members.

jadłospis	**łaska, litość**	**syrena**	**wesoły, radosny**
	Zdani jesteśmy na **łaskę** pogody. Bandyta nie okazał nikomu **litości.** *We are at the mercy of the weather. The bandit showed no mercy to anyone.*		
1772 menu	1773 mercy	1774 mermaid	1775 merry

prawdziwy **bałagan**	Jest dla ciebie **wiadomość.**	**posłaniec**	To jest kufel z **metalu.**
1776 a real mess	1777 message	1778 messenger	1779 metal

Meteoryty spadają z przestrzeni kosmicznej.	**licznik**	**Metr** ma około 40 cali.	**sposób, metoda**
			W ten **sposób** Ania nauczyła się wszystkiego bardzo szybko. **Metoda** jest **sposobem** zrobienia czegoś. *With this method, Ania learned everything very quickly. A method is a way of doing things.*
1780 meteorite	1781 meter	1782 meter/metre*	1783 method

metronom, taktomierz	Czesiek śpiewa do **mikrofonu.**	**mikroskop**	**kuchenka mikrofalowa**
1784 metronome	1785 microphone	1786 microscope	1787 microwave oven

południe

1788   midday

w środku

1789   in the middle

karzełek

1790   midget

północ

1791   midnight

mila

Jedna **mila** równa się 1.6 kolometra.
Maksymalna szybkość jest 30 **mil** na godzinę.

One mile equals 1.6 kilometers.
The speed limit is 30 miles per hour.

1792   mile

mleko

1793   milk

młyn

1794   mill

wybitny umysł

$E = MC^2$

1795   mind

Kopalnia jest głęboko pod ziemią.

1796   mine

Górnik bada skałę.

1797   miner

minerały

1798   minerals

piskorz

1799   minnow

mięta

1800   mint

minus

$7 - 5 = 2$

1801   minus

W godzinie jest sześćdziesiąt **minut.**

1802   minute

Cud się nie udał.

1803   miracle

Na pustyni często przydarzają się **miraże.**

1804   mirage

lustro, lusterko

1805   mirror

Skąpiec wszystko trzyma tylko dla siebie.

1806   miser

Tęsknię za rodziną.

1807   to miss

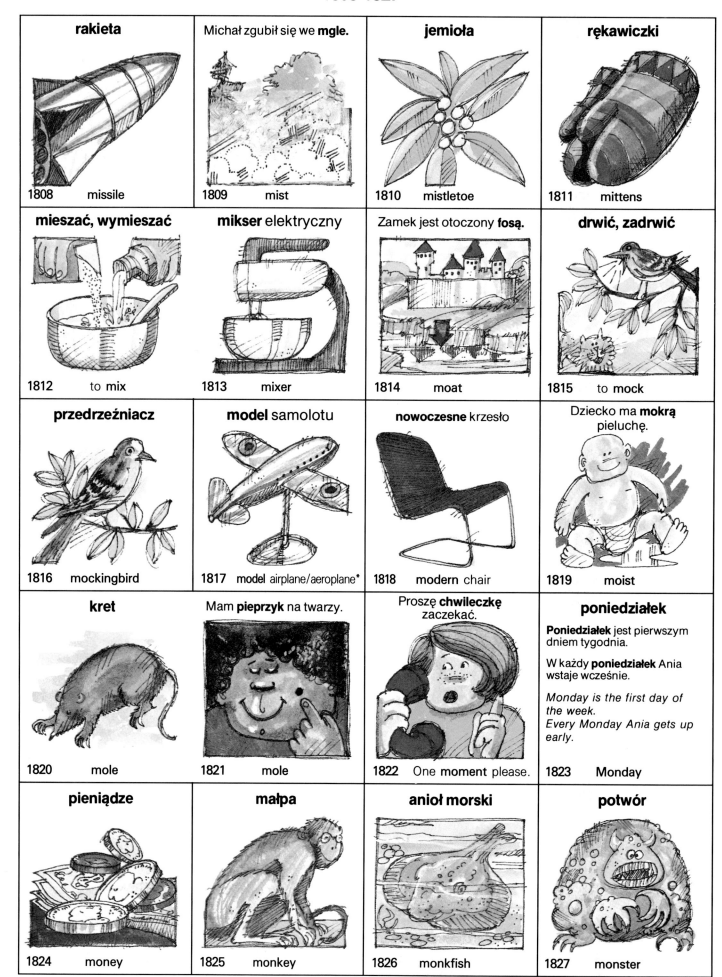

rakieta

1808   missile

Michał zgubił się we **mgle.**

1809   mist

jemioła

1810   mistletoe

rękawiczki

1811   mittens

mieszać, wymieszać

1812   to mix

mikser elektryczny

1813   mixer

Zamek jest otoczony **fosą.**

1814   moat

drwić, zadrwić

1815   to mock

przedrzeźniacz

1816   mockingbird

model samolotu

1817   model airplane/aeroplane*

nowoczesne krzesło

1818   **modern** chair

Dziecko ma **mokrą** pieluchę.

1819   moist

kret

1820   mole

Mam **pieprzyk** na twarzy.

1821   mole

Proszę **chwileczkę** zaczekać.

1822   One **moment** please.

poniedziałek

Poniedziałek jest pierwszym dniem tygodnia.

W każdy **poniedziałek** Ania wstaje wcześnie.

Monday is the first day of the week.
Every Monday Ania gets up early.

1823   Monday

pieniądze

1824   money

małpa

1825   monkey

anioł morski

1826   monkfish

potwór

1827   monster

W roku jest dwanaście miesięcy.

1828   month

Na placu stoi pomnik bohatera narodowego.

1829   monument

On jest w dobrym **humorze.**

1830   He is in a good **mood.**

On jest w złym **humorze.**

1831   He is in a bad **mood.**

księżyc

1832   moon

łoś

1833   moose

rano, poranek

1834   morning

moździerz z tłuczkiem

1835   **mortar** and pestle

mozaika

1836   mosaic

komar

1837   mosquito

mech

1838   moss

matka, mama, mamusia

1839   mother

silnik elektryczny

1840   motor

motocykl

1841   motorcycle

forma do ciasta

1842   mould*/mold

kurhan ziemi

1843   mound

Wsiada na konia, żeby pojechać do pracy.

1844   to mount

góra

1845   mountain

mysz

1846   mouse

wąsy

1847   moustache*/mustache

usta

1848 mouth

Ślimak **porusza się** wolno.

1849 to move

ruch

1850 movement

kino

1851 movie/film*

kosić trawę, **skosić** trawę

1852 to **mow** the lawn

za **dużo** dla mnie

1853 too **much** for me

Dlaczego on siedzi w **błocie?**

1854 mud

muł

1855 mule

mnożyć, pomnożyć

1856 multiply

świnka

1857 mumps

mordować, zamordować

1858 to murder

mięsień, muskuł

1859 muscle

muzeum

1860 museum

Niektóre **grzyby** są trujące.

1861 mushroom

Ania lubi **muzykę.**

1862 music

Ona chce zostać **muzykiem.**

1863 musician

małż

1864 mussel

Musisz skoczyć.

1865 You **must** jump.

musztarda

1866 mustard

kaganiec

1867 muzzle

N

gwóźdź

1868　　nail

paznokieć

1869　　fingernail

cążki do **paznokci**

1870　　nail clipper

Oni są **nadzy.**

1872　　naked

Na **imię** mam ...

1873　　My **name** is...

serwetka

1874　　napkin/serviette*

przybijać gwóźdź, przybić gwóźdź

1871　　to nail

Tutaj jest za **wąsko,** żeby przejść.

1875　　too **narrow** to pass

Islandia jest **państwem.**

1876　　nation

naturalny, naturalna, naturalne

Rodzynki są **naturalnym** źródłem energii.
Owoce zawierają **naturalny** cukier.

Raisins are a natural source of energy.
Fruits contain natural sugar.

1877　　natural

Przyroda jest piękna.

1878　　nature

Ona jest **niegrzeczna.**

1879　　She is **naughty.**

sterować

1880　　to navigate

Ona już jest **blisko** celu.

1881　　near

porządny kolega

1882　　neat

nieprzyjemne lecz **konieczne**

1883　Not pleasant, but **necessary.**

szyja

1884　　neck

naszyjnik

1885　　necklace

Z **nektaru** kwiatów pszczoły robią miód.

1886　　nectar

brzoskwinia

1887   nectarine

potrzeba

Prawdziwych przyjaciół poznaje się w biedzie. Na pustyni jest wielka **potrzeba** wody.

When you are in need, you find your true friends. There is a great need for water in the desert.

1888   need

Potrzebuję wody.

1889   I **need** water.

Czy umiesz nawlekać **igłę?**

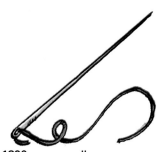

1890   needle

On **zaniedbuje** swojego psa.

1891   He **neglects** his dog.

Ania się budzi, kiedy koń **rży.**

1892   to neigh

sąsiedzi

1893   neighbors/neighbours*

Ani jeden **ani** drugi nie pasuje.

1894   **neither** one fits

---

reklama neonowa

1895   neon sign

Bratanek jest synem mojego brata.

1896   My **nephew** is my brother's son.

W ludzkim ciele jest wiele **nerwów.**

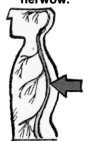

1897   nerve

Romek jest bardzo **zdenerwowany.**

1898   nervous

W **gnieździe** są dwa jajka.

1899   nest

Pokrzywa parzy.

1900   nettle

Nigdy nie baw się ogniem!

1901   **Never** play with fire!

nowy kapelusz

1902   new

---

wiadomości

Mama słucha **wiadomości.** To jest dobra **wiadomość.** Co słychać w domu?

Mom listens to the news. That is good news. Any news from home?

1903   news

gazeta

1904   newspaper

Pani jest **następna.**

1905   Next !

Wiewiórka **skubie** orzech.

1906   to **nibble**

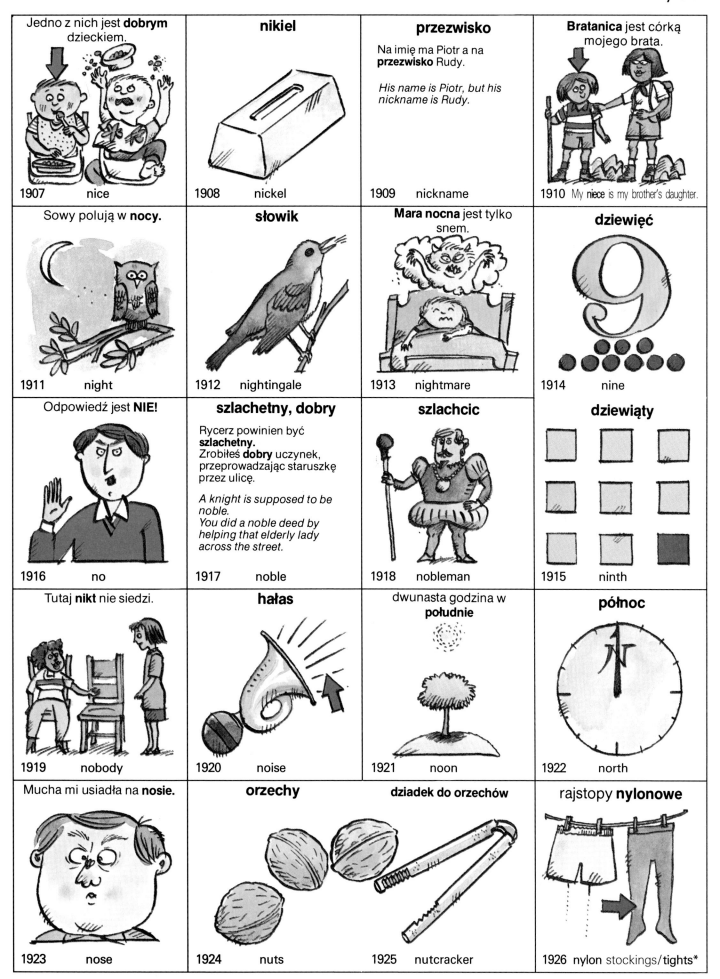

Jedno z nich jest **dobrym** dzieckiem.

1907   nice

nikiel

1908   nickel

przezwisko

Na imię ma Piotr a na **przezwisko** Rudy.

His name is Piotr, but his nickname is Rudy.

1909   nickname

Bratanica jest córką mojego brata.

1910   My niece is my brother's daughter.

Sowy polują w **nocy.**

1911   night

słowik

1912   nightingale

Mara nocna jest tylko snem.

1913   nightmare

dziewięć

1914   nine

Odpowiedź jest **NIE!**

1916   no

szlachetny, dobry

Rycerz powinien być **szlachetny.**
Zrobiłeś **dobry** uczynek, przeprowadzając staruszkę przez ulicę.

A knight is supposed to be noble.
You did a noble deed by helping that elderly lady across the street.

1917   noble

szlachcic

1918   nobleman

dziewiąty

1915   ninth

Tutaj **nikt** nie siedzi.

1919   nobody

hałas

1920   noise

dwunasta godzina w **południe**

1921   noon

północ

1922   north

Mucha mi usiadła na **nosie.**

1923   nose

orzechy

1924   nuts

dziadek do orzechów

1925   nutcracker

rajstopy **nylonowe**

1926   nylon stockings/**tights***

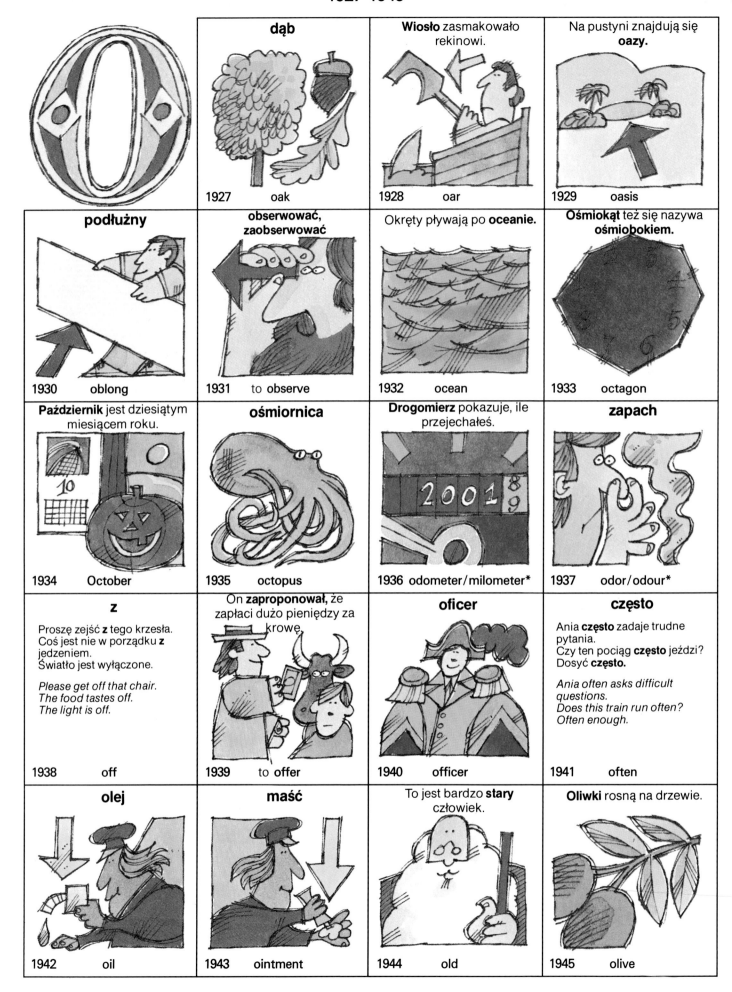

dąb

1927   oak

Wiosło zasmakowało rekinowi.

1928   oar

Na pustyni znajdują się **oazy.**

1929   oasis

podłużny

1930   oblong

obserwować, zaobserwować

1931   to observe

Okręty pływają po **oceanie.**

1932   ocean

Ośmiokąt też się nazywa **ośmiobokiem.**

1933   octagon

Październik jest dziesiątym miesiącem roku.

1934   October

ośmiornica

1935   octopus

Drogomierz pokazuje, ile przejechałeś.

1936   odometer/milometer*

zapach

1937   odor/odour*

z

Proszę zejść **z** tego krzesła.
Coś jest nie w porządku **z** jedzeniem.
Światło jest wyłączone.

Please get off that chair.
The food tastes off.
The light is off.

1938   off

On **zaproponował,** że zapłaci dużo pieniędzy za krowę.

1939   to offer

oficer

1940   officer

często

Ania **często** zadaje trudne pytania.
Czy ten pociąg **często** jeździ?
Dosyć **często.**

Ania often asks difficult questions.
Does this train run often?
Often enough.

1941   often

olej

1942   oil

maść

1943   ointment

To jest bardzo **stary** człowiek.

1944   old

Oliwki rosną na drzewie.

1945   olive

Omlet smaży się z jajek.

1946   omelette

Kwiat stoi **na** stole.

1947   **on** the table

---

niegdyś, raz

Niegdyś była dziewczynka, która się nazywała Ania.
Karol był na kolonii tylko **raz**.

Once upon a time there was a little girl named Ania.
Karol was at camp only once.

1948   once

---

liczba **jeden**

1949   one

---

cebula

1950   onion

---

moja **jedyna** miłość

1951   my **only** love

Zostawiłeś drzwi **otwarte.**

1952   open

---

otwierać, otworzyć

1953   to **open**

---

operacja

1954   operation

---

opos

1955   opossum

---

naprzeciwko, przeciwieństwo

Bielscy mieszkają **naprzeciwko** nas.
Dobro jest **przeciwieństwem** zła.

The Bielskis live opposite us.
Bad is the opposite of good.

1956   opposite

---

albo, czy, lub

Możesz odrabiać lekcje **albo** zmywać naczynia.
Mogę wejść, **czy** jesteś zajęty?
Jesteś kolegą Ani **lub** nie.

You can do your lessons or wash the dishes.
Can I come in or are you busy?
Either you are Ania's friend or you are not.

1957   or

---

pomarańcza

1958   orange

---

pomarańczowy kolor

1959   orange

W **sadzie** jest dużo drzew owocowych.

1960   orchard

---

orkiestra

1961   orchestra

---

orchidea

1962   orchid

Pragnę teraz **zamówić** obiad.

1963   to **order**

---

oregano

1964   oregano

To są wielkie **organy.**

1965   organ

wilga

1966   oriole

Sierota nie ma rodziców.

1967   orphan

Struś nie może latać jak inne ptaki.

1968   ostrich

Wydry jedzą ryby.

1969   otter

W jednym funcie jest szesnaście **uncji.**

1970   ounce

na dworze

1971   outdoors

Podoba ci się mój **strój?**

1972   outfit

owalny kształt

1973   oval

Ciasto piecze się w **piecu.**

1974   oven

Człowiek **za burtą!**

1975   Man overboard!

płaszcz

1976   overcoat

przelewać się, przelać się

1977   to overflow

kalosz

1978   overshoe

przewracać się, przewrócić się

1979   to overturn

należy się, winien

Nauczycielowi **należy się** szacunek.
Jestem ci **winien** pięć dolarów.

You owe respect to your teacher.
I owe you five dollars.

1980   to owe

sowa

1981   owl

posiadać, mieć

Posiadamy własny dom.
Bielscy **mają** letni domek nad jeziorem.

We own our house.
The Bielskis own a cottage on the lake.

1982   to own

wół

1983   ox

tlen

1984   oxygen

W **ostrydze** jest perła.

1985   oyster

P

Ania wszystko **pakuje** do torby.
1986 to pack

paczka
1987 package

Ktoś napisał na moim **bloczku.**
1988 pad

wiosło kajakowe
1990 paddle

Ona nie umie **wiosłować.**
1991 to paddle

kłódka
1992 padlock

wyrzutnia
1989 pad

Odwróć **stronę.**
1993 page

Wiadro wody jest bardzo ciężkie.
1994 pail

farba
1996 paint

Nie dotykaj świeżej **farby**, bo się zabrudzisz.
1997 wet paint

Tomek odczuwa **ból.**
1995 pain

malarz
2000 painter

malować, pomalować
1998 to paint

pędzel
1999 paintbrush

obraz
2001 painting

para tenisówek
2002 a pair of shoes

pałac
2003 palace

Ten kwiat ma **wyblakły** kolor.
2004 pale

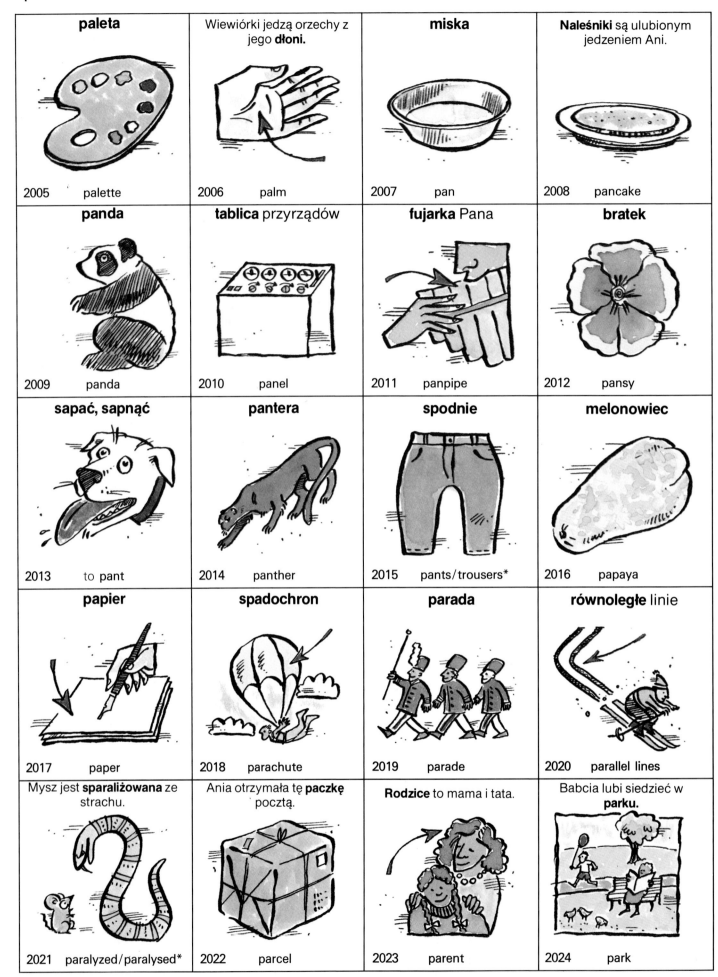

paleta	Wiewiórki jedzą orzechy z jego **dłoni.**	**miska**	**Naleśniki** są ulubionym jedzeniem Ani.
2005 palette	2006 palm	2007 pan	2008 pancake
panda	**tablica** przyrządów	**fujarka** Pana	**bratek**
2009 panda	2010 panel	2011 panpipe	2012 pansy
sapać, sapnąć	**pantera**	**spodnie**	**melonowiec**
2013 to pant	2014 panther	2015 pants/trousers*	2016 papaya
papier	**spadochron**	**parada**	**równoległe** linie
2017 paper	2018 parachute	2019 parade	2020 parallel lines
Mysz jest **sparaliżowana** ze strachu.	Ania otrzymała tę **paczkę** pocztą.	**Rodzice** to mama i tata.	Babcia lubi siedzieć w **parku.**
2021 paralyzed/paralysed*	2022 parcel	2023 parent	2024 park

Tata Ani tu **parkuje** swój samochód.

2025   to park

kurtka z kapturem

2026   parka

izba parlamentu

2027   parliament

Papuga powtarza wszystko co mówisz.

2028   parrot

pietruszka

2029   parsley

pasternak

2030   parsnip

Cząsteczki kurzu latają w powietrzu.

2031   particle

Czy Karol jest dobrym **partnerem** do tańca?

2032   partner

Ania lubi chodzić na **zabawy.**

2033   party

Marta chciała **rzucić** piłkę do Józka,

2034   to pass

a on **stracił przytomność**

2035   to pass out

przejście

2036   passage

pasażer

2037   passenger

Trzeba mieć **paszport**, żeby jechać za granicę.

2038   passport

przeszłość, po

W **przeszłości** nie było ani samolotów ani samochodów.
Już jest **po** ósmej.

In the past there were no planes or cars.
It's already past eight.

2039   past

makaron

2040   pasta

Zbyszek **przylepia** tapetę.

2041   to paste

Szycie i haftowanie są jej ulubioną **rozrywką.**

2042   pastime

ciasta i ciastka

2043   pastry

Owce pasą się na **pastwisku.**

2044   pasture

Tata jemu naszył **łatę** na spodniach.

2045   patch

ścieżka

2046   path

Ona jest **cierpliwa.**

2047   She is patient.

Lekarz bada **pacjenta.**

2048   patient

wzór na sukienkę

2049   pattern

zatrzymywać się, zatrzymać się

Ania przeczytała dwie strony tej książki i **zatrzymała się** na chwilę.
Muszę **się zatrzymać,** aby złapać oddech.

Ania read two pages of this book, then paused for a moment.
I have to pause to catch my breath.

2050   to pause

stawać na **bruk,** stanąć na **bruk**

2051   pavement/road*

Ile **łap** ma kot?

2052   paw

Twoi rodzice muszą **płacić** dużo rachunków.

2053   to ´pay

automat telefoniczny

2054 pay phone/phone box*

Pokój na ziemi.

2055   peace

brzoskwinia

2056   peach

paw

2057   peacock

szczyt

2058   peak

dzwięk dzwonu

2059   peal of a bell

orzech ziemny

2060   peanut

gruszka

2061   pear

perła

2062   pearl

groszek w strączku

2063   peas

Torfowiec jest dobry dla kwiatów.

2064   peat moss

kamyki na plaży

2065   pebbles

amerykańska leszczyna

2066   pecan

dziobać, dziobnąć

2067   to peck

pedał

2068   pedal

pieszy, przechodzień

2070   pedestrian

przejście dla pieszych

2071   pedestrian crossing

obierać, obrać

2072   to peel

pedałować

2069   to pedal

pelikan

2073   pelican

pióro, długopis

2074   pen

ołówek

2075   pencil

zegar z **wahadłem**

2076   pendulum

pingwin

2077   penguin

scyzoryk

2078   penknife

Pięciokąt ma pięć boków.

2079   pentagon

dużo szczęśliwych **ludzi**

2080   people

pieprz

2081   pepper

mięta pieprzowa

2082   peppermint

okoń

2083   perch

Ptak siedzi na **gałązce.**

2084   perch

doskonałe **przedstawienie**, doskonały **występ**	**perfumy**	**Kropkę** stawia się na końcu zdania.	**barwinek**
2085 performance	2086 perfume	2087 period/full stop*	2088 periwinkle
osoba	**szkodnik**	Bartek **dokucza** ojcu.	Moim **ulubionym zwierzęciem** jest mój wąż.
2089 person	2090 pest	2091 to pester	2092 pet
Kwiatki mają **płatki**.	**petunia**	**Aptekarka** wykonuje recepty.	Dziecko **gładzi** psa.
2094 petal	2095 petunia	2096 pharmacist/chemist*	2093 to pet
apteka	**bażant**	**telefon**	**zdjęcie, fotografia**
2097 pharmacy/chemist's*	2098 pheasant	2099 phone	2100 photograph
pianino	**Wybierz** kartę!	Emilia **podnosi** lalkę.	**kilof**
2101 piano	2102 to pick	2103 to pick up	2104 pickaxe

ogórki kwaszone

2105   pickles

Ania umie **marynować** grzyby.

2106   to pickle

piknik

2107   picnic

Jego **obrazy** są bardzo dziwne.

2108   picture

ciasto z czereśniami

2109   pie

kawałek ciasta

2110   a piece/slice* of pie

sklejać, skleić

2111   to piece together

molo nad morzem

2112   pier

świnia

2113   pig

gołąb

2114   pigeon

To jest prawdziwy **chlew.**

2115   pigsty

stos ziemi

2116   pile

Pigułki mogą być niebezpieczne.

2117   pill/tablet*

filar, kolumna

2118   pillar

Mruczek śpi na **poduszce.**

2119   pillow

poszewka na poduszkę

2120   pillowcase

Pilot kieruje samolotem.

2121   pilot

pryszcz, pryszczyk

2122   pimple

kleszcze

2123   pincers

To boli, jak ktoś **szczypie.**

2124   to pinch

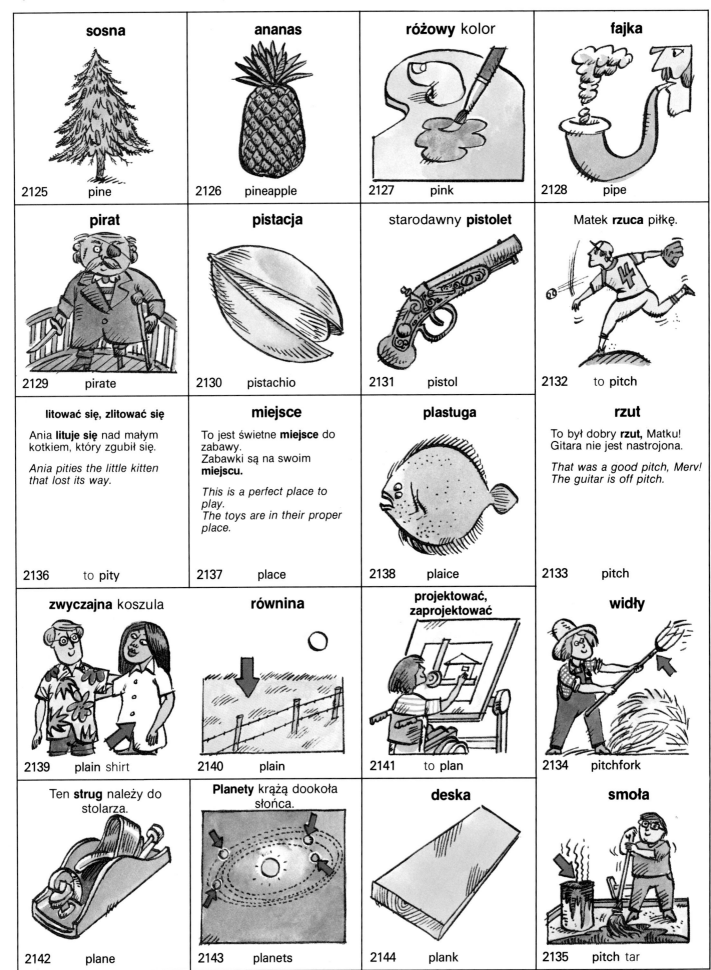

sosna

2125   pine

ananas

2126   pineapple

różowy kolor

2127   pink

fajka

2128   pipe

pirat

2129   pirate

pistacja

2130   pistachio

starodawny **pistolet**

2131   pistol

Matek **rzuca** piłkę.

2132   to pitch

litować się, zlitować się

Ania **lituje się** nad małym kotkiem, który zgubił się.

Ania pities the little kitten that lost its way.

2136   to pity

miejsce

To jest świetne **miejsce** do zabawy.
Zabawki są na swoim **miejscu.**

This is a perfect place to play.
The toys are in their proper place.

2137   place

plastuga

2138   plaice

rzut

To był dobry **rzut,** Matku!
Gitara nie jest nastrojona.

That was a good pitch, Merv!
The guitar is off pitch.

2133   pitch

zwyczajna koszula

2139   plain shirt

równina

2140   plain

projektować, zaprojektować

2141   to plan

widły

2134   pitchfork

Ten **strug** należy do stolarza.

2142   plane

Planety krążą dookoła słońca.

2143   planets

deska

2144   plank

smoła

2135   pitch tar

rośliny	**sadzić, posadzić**	**tynk, gips**	Joasia **tynkuje** ścianę.
2145 plants	2146 to plant	2147 plaster	2148 to plaster
plastyk	**plastelina**	To jest **talerz** Ani.	**płaskowyż**
2149 plastic	2150 plasticine	2151 plate	2152 plateau
Pociąg stoi przy **peronie.**	**bawić się**	**park, ogródek jordanowski**	**karty do gry**
2153 platform	2154 to play	2155 playground	2156 playing cards
błagać, wybłagać	**przyjemny** dzień	**Proszę** o szklankę mleka.	**fałda**
2157 to plead	2158 a pleasant day	2159 A glass of milk, please.	2160 pleat
szczypce, obcążki	**pług**	**skubać, obskubać**	**wtyczka**
2161 pliers	2162 plow/plough*	2163 to pluck	2164 plug

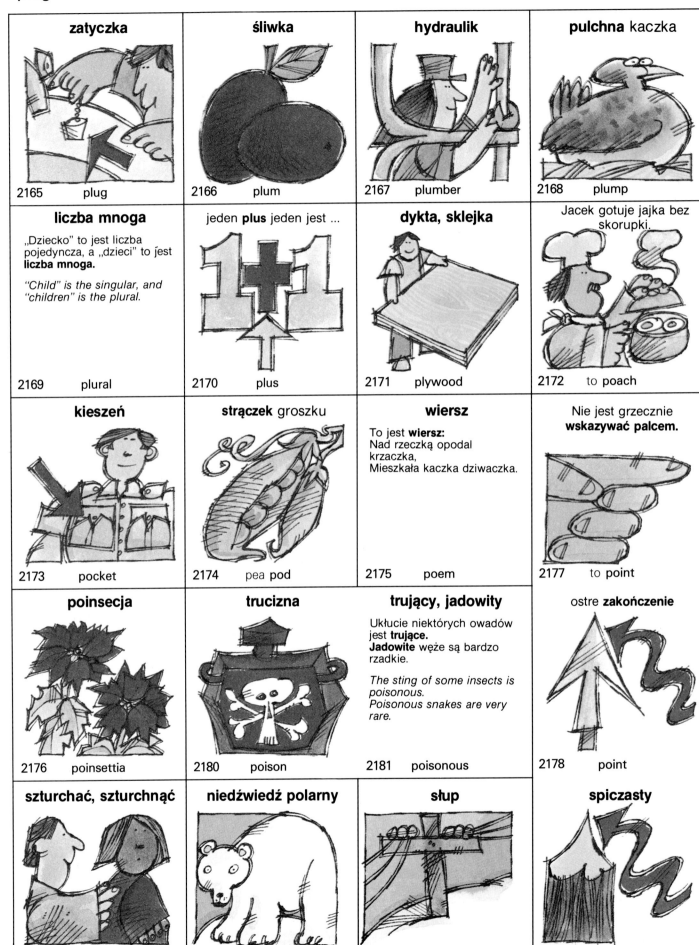

zatyczka

2165   plug

śliwka

2166   plum

hydraulik

2167   plumber

pulchna kaczka

2168   plump

liczba mnoga

„Dziecko" to jest liczba pojedyncza, a „dzieci" to jest **liczba mnoga.**

"Child" is the singular, and "children" is the plural.

2169   plural

jeden **plus** jeden jest ...

2170   plus

dykta, sklejka

2171   plywood

Jacek gotuje jajka bez skorupki.

2172   to poach

kieszeń

2173   pocket

strączek groszku

2174   pea **pod**

wiersz

To jest **wiersz:**
Nad rzeczką opodal krzaczka,
Mieszkała kaczka dziwaczka.

2175   poem

Nie jest grzecznie **wskazywać palcem.**

2177   to point

poinsecja

2176   poinsettia

trucizna

2180   poison

trujący, jadowity

Ukłucie niektórych owadów jest **trujące.**
Jadowite węże są bardzo rzadkie.

The sting of some insects is poisonous.
Poisonous snakes are very rare.

2181   poisonous

ostre **zakończenie**

2178   point

szturchać, szturchnąć

2182   to poke

niedźwiedź polarny

2183   polar bear

słup

2184   pole

spiczasty

2179   pointed

policjant
2185   policeman

policjantka
2186   policewoman

szlifować, wyszlifować, polerować
2187   to polish

grzeczny, grzeczna, grzeczne
Grzeczne dziecko wszystkim się podoba.
Nieładnie tak krzyczeć.
Nauczyciel oczekuje **grzecznej** odpowiedzi od Ani.

Everyone likes a polite child.
It's not polite to shout like that.
The teacher expects a polite answer from Ania.

2188   polite

pyłek kwiatowy
2189   pollen

granat
2190   pomegranate

staw
2191   pond

kucyk
2192   pony

basen, pływalnia
2193   pool

Składamy swoje rzeczy razem.
2194   to pool

zły, biedny
Ania otrzymała **złe** oceny, ponieważ nie odrobiła lekcji.
Jej rodzina nie jest **biedna,** ale też nie jest bogata.

Ania received poor marks because she did not study.
Her family is not poor but it is not rich either.

2195   poor

strzelać, wystrzelić
2196   to pop

topola
2197   poplar

mak
2198   poppy

popularny, popularna, popularne
Ania jest **popularną** dziewczynką.
Ta książka jest bardzo **popularna.**

Ania is a popular girl.
This book is very popular.

2199   popular

Romek siedzi na werandzie.
2200   porch

Pory są małymi dziurkami w skórze.
2201   Pores are little holes in the skin.

Lubię **kaszkę** na śniadanie.
2202   porridge

port
2203   port

przenośny, przenośna, przenośne
Ania chce kupić **przenośne** radio, ale ma za mało pieniędzy.

Ania wants to buy a portable radio, but she does not have enough money.

2204   portable

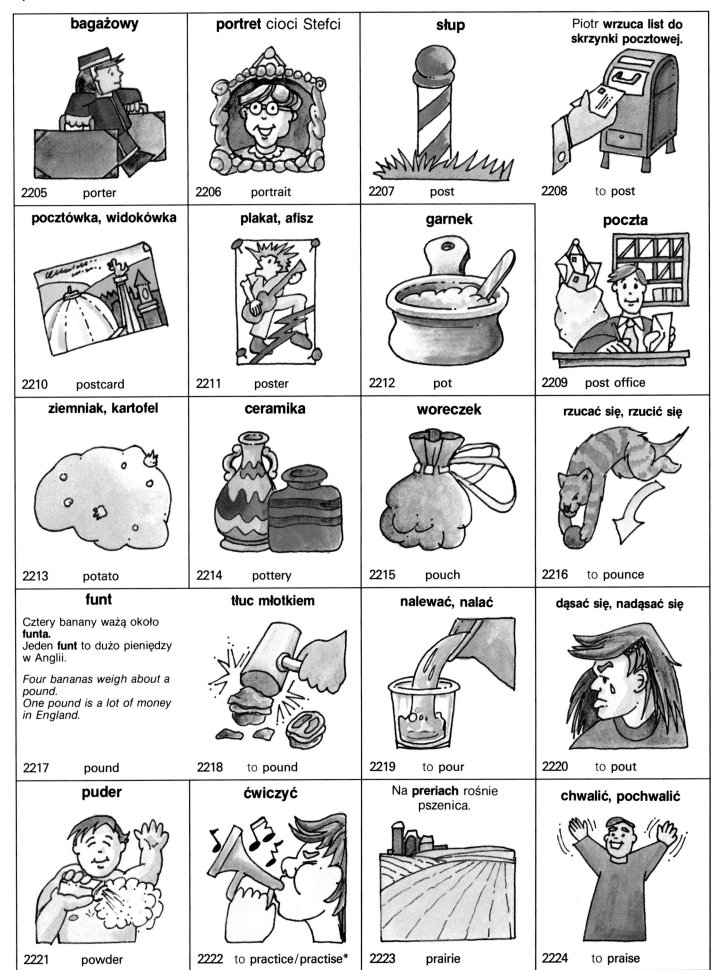

bagażowy

2205   porter

portret cioci Stefci

2206   portrait

słup

2207   post

Piotr **wrzuca list do skrzynki pocztowej.**

2208   to post

pocztówka, widokówka

2210   postcard

plakat, afisz

2211   poster

garnek

2212   pot

poczta

2209   post office

ziemniak, kartofel

2213   potato

ceramika

2214   pottery

woreczek

2215   pouch

rzucać się, rzucić się

2216   to pounce

funt

Cztery banany ważą około **funta.**
Jeden **funt** to dużo pieniędzy w Anglii.

Four bananas weigh about a pound.
One pound is a lot of money in England.

2217   pound

tłuc młotkiem

2218   to pound

nalewać, nalać

2219   to pour

dąsać się, nadąsać się

2220   to pout

puder

2221   powder

ćwiczyć

2222   to practice/practise*

Na **preriach** rośnie pszenica.

2223   prairie

chwalić, pochwalić

2224   to praise

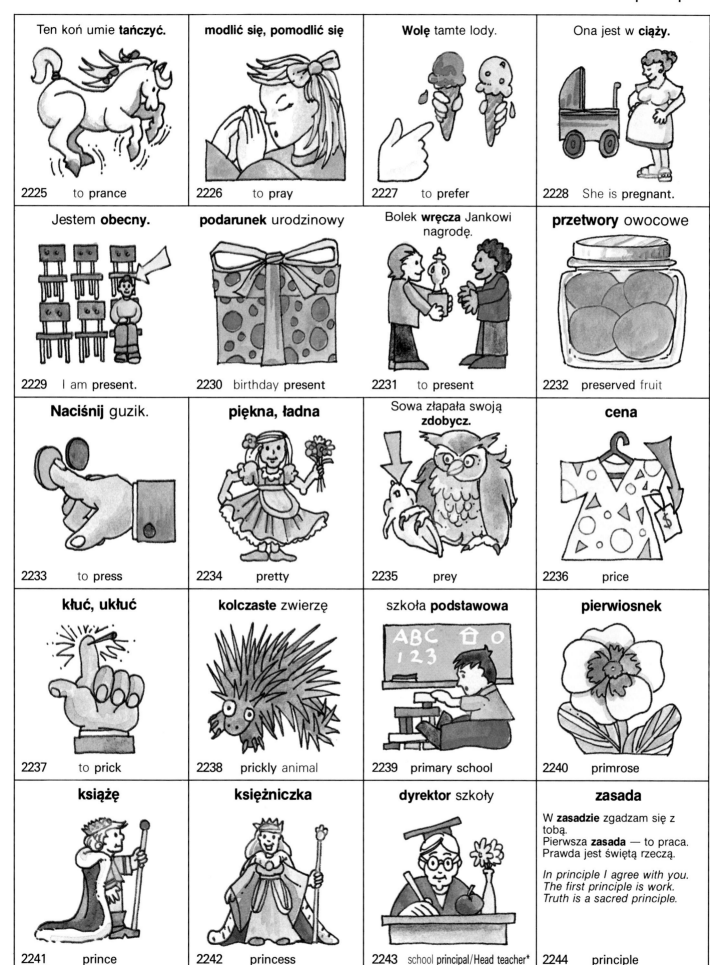

Ten koń umie **tańczyć.**	**modlić się, pomodlić się**
2225 to prance	2226 to pray

Wolę tamte lody.	Ona jest w **ciąży.**
2227 to prefer	2228 She is **pregnant.**

Jestem **obecny.**	**podarunek** urodzinowy
2229 I am **present.**	2230 birthday **present**

Bolek **wręcza** Jankowi nagrodę.	**przetwory** owocowe
2231 to **present**	2232 **preserved** fruit

Naciśnij guzik.	**piękna, ładna**
2233 to **press**	2234 **pretty**

Sowa złapała swoją **zdobycz.**	**cena**
2235 prey	2236 price

kłuć, ukłuć	**kolczaste** zwierzę
2237 to **prick**	2238 **prickly** animal

szkoła **podstawowa**	**pierwiosnek**
2239 **primary** school	2240 primrose

książę	**księżniczka**
2241 prince	2242 princess

dyrektor szkoły	**zasada**
2243 school principal/Head teacher*	W **zasadzie** zgadzam się z tobą. Pierwsza **zasada** — to praca. Prawda jest świętą rzeczą. *In principle I agree with you. The first principle is work. Truth is a sacred principle.*
	2244 principle

drukować, wydrukować

2245   to print

W **pryzmacie** białe światło rozkłada się na różne kolory.

2246   prism

Wacka wsadzono do **więzienia** za kradzież.

2247   prison

---

więzień

2248   prisoner

---

prywatny, skryty

My z Anią rozmawiamy w cztery oczy.
Tomek bierze **prywatne** lekcje.
On jest bardzo **skrytym** człowiekiem.

Ania and I are having a private talk.
Tomek takes private lessons.
He is a very private person.

2249   private

Ania zdobyła pierwszą **nagrodę** za pływanie.

2250   prize

---

problem

2251   problem

---

warzywa i owoce

2252   produce

Tylko niektóre **programy** w telewizji są dobre.

2254   program/programme*

---

zabronione wejście

2255   prohibited

---

projekt

Małgosia pracuje nad **projektem.**
Projekt Ani nie udał się.

Małgosia is working on a project.
Ania's project did not succeed.

2256   project

Fabryka **produkuje** samochody.

2253   This factory **produces** cars.

Obiecuję.

2257   I promise.

Te widły mają cztery **zęby.**

2258   prong

Należy wyraźnie **wymiawiać** słowa.

2259   to pronounce

Pióra są **dowodem,** że Mruczek zjadł ptaka.

2260   proof of guilt

Jacek **podpiera** deskę kijem.

2261   to prop

śmigło

2262   propeller

---

odpowiednio ubrany

2263   properly dressed

---

własność

Ania mówi „To jest moje", gdy mówi o swojej **własności.**
Jej rodzina ma działkę na wsi.

Ania says "This is mine" when she speaks of her own property.
Her family has some property in the country.

2264   property

protestować, zaprotestować

2265   to protest

Jestem **dumnym** kotem.

2266   I am a **proud** cat.

Mogę to **udowodnić.**

2267   to prove

przysłowie

Oto **przysłowie:**
Kto zdrowia nie szanuje, ten na starość żałuje.

Here is a proverb:
He who neglects his health,
will regret it in his old age.

2268   proverb

dostarczać, dostarczyć

2269   to provide chairs

śliwka suszona

2270   prune

przycinać, przyciąć

2271   to prune

telefon **publiczny**

2272   public telephone/phone box*

Ania lubi **budyń** na deser.

2273   pudding/afters*

kałuża

2274   puddle

dmuchać, dmuchnąć

2275   to puff

maskonur

2276   puffin

ciągać, ciągnąć

2277   to pull

koło pasowe

2278   pulley

pulower

2279   pullover/sweater*

Lekarz bada **puls** Ani.

2280   pulse

pompa

2281   pump

pompować, napompować

2282   to pump

dynia

2283   pumpkin

uderzać pięścią, **uderzyć** pięścią

2284   to punch

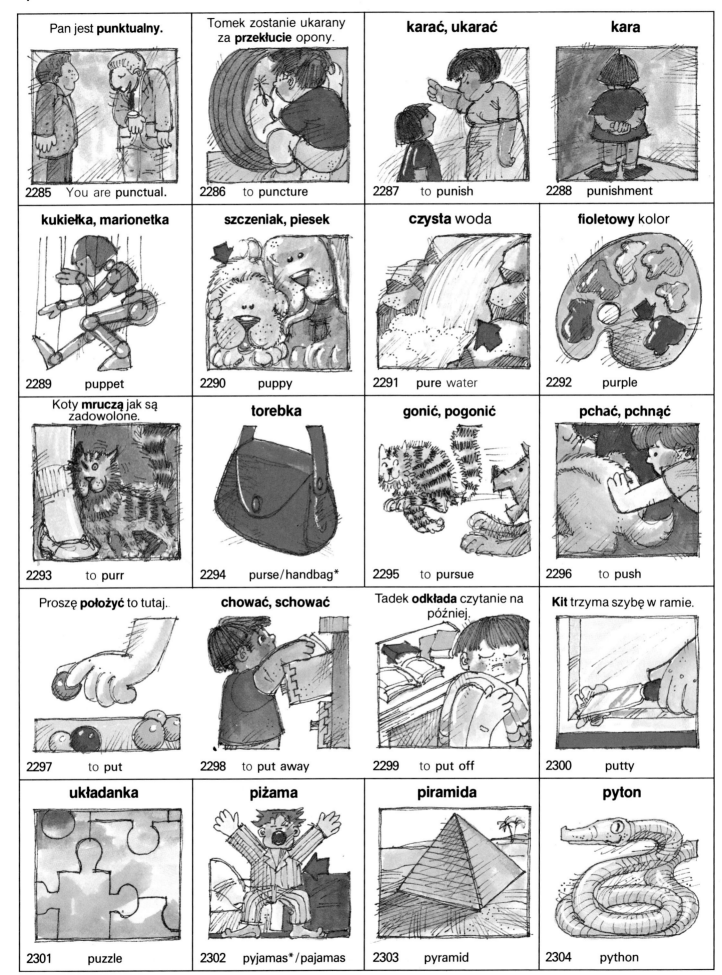

Pan jest **punktualny.**	Tomek zostanie ukarany za **przekłucie** opony.	**karać, ukarać**	**kara**
2285 You are punctual.	2286 to puncture	2287 to punish	2288 punishment
kukiełka, marionetka	**szczeniak, piesek**	**czysta** woda	**fioletowy** kolor
2289 puppet	2290 puppy	2291 pure water	2292 purple
Koty **mruczą** jak są zadowolone.	**torebka**	**gonić, pogonić**	**pchać, pchnąć**
2293 to purr	2294 purse/handbag*	2295 to pursue	2296 to push
Proszę **położyć** to tutaj..	**chować, schować**	Tadek **odkłada** czytanie na później.	**Kit** trzyma szybę w ramie.
2297 to put	2298 to put away	2299 to put off	2300 putty
układanka	**piżama**	**piramida**	**pyton**
2301 puzzle	2302 pyjamas*/pajamas	2303 pyramid	2304 python

przepiórka

2305   quail

pierwszorzędny zegarek

2306   quality watch

Jaka jest **ilość** wody w szklance?

2307   quantity

kłócić się, pokłócić się

2308   to quarrel

W **kamieniołomach** wykopuje się kamień i piasek.

2309   quarry

ćwierć, jedna czwarta

1/4

2310   quarter

Łódka stoi przy **brzegu.**

2311   quay

królowa

2312   queen

zadawać **pytanie**, zadać **pytanie**

2313   to ask a question

Zrób to **szybko!**

2314   quick

Koń tonie w **grząskim piasku.**

2315   quicksand

Ona jest **cicha.**

2316   She is quiet.

Można też pisać **piórem.**

2317   quill

kolec kolczatki

2318   porcupine quill

kołdra

2319   quilt/eiderdown*

pigwa

2320   quince

Jego **kołczan** jest pełen strzał.

2321   quiver

drgać, drgnąć

2322   to quiver

zgaduj-zgadula

Dzisiaj na lekcji mieliśmy **zgaduj-zgadulę** z ortografii.

Our class had a quiz in spelling today.

2323   quiz

R

królik
2324   rabbit

szop
2325   raccoon

ścigać się, prześcigać się
2326   to race

wieszak
2327   rack/hat-stand*

Czesiek robi **hałas.**
2328   racket

kaloryfer
2329   radiator

radio
2330   radio

rzodkiewka
2331   radish

promień koła
2332   radius

tratwa
2333   raft

nalot mrówek na piknik
2334   a raid in progress

Trzymaj się **poręczy!**
2335   handrail/banister*

tor kolejowy
2336   railroad track/railway track*

Pada deszcz.
2337   to rain

Ania lubi patrzeć na **tęczę.**
2338   rainbow

płaszcz deszczowy
2339   raincoat

podnieść, zadać

Kto lubi Anię, niech **podniesie** rękę.
Ona **zadała** ciekawe pytanie.

*Everyone who likes Ania, raise your hand.
She raised an interesting question.*

2340   to raise

Rodzynki są suszonymi winogronami.
2341   raisin

grabie
2342   rake

Bolek **puka** do drzwi.	**szybki, prędki**	**rzadki** okaz	On ma **wysypkę** na twarzy.
2343 to rap/knock*	2344 rapid	2345 rare	2346 rash
malina	**szczur**	**grzechotka**	**grzechotnik**
2347 raspberry	2348 rat	2349 rattle	2350 rattlesnake
kruk	**wygłodniała** osoba	**parów**	**surowe** jajko
2351 raven	2352 ravenous	2353 ravine	2354 a raw egg
promień słoneczny	**brzytwa**	**sięgać, sięgnąć**	**czytać, przeczytać**
2355 ray of sunlight	2356 razor	2357 to reach	2358 to read
Gotowi?	Czy to jest **prawdziwy** diament?	**zdawać sobie sprawę, zdać sobie sprawę**	Już jesteś, **naprawdę?**
2359 ready	2360 real	2361 to realize/realise*	2362 Are you **really** here?

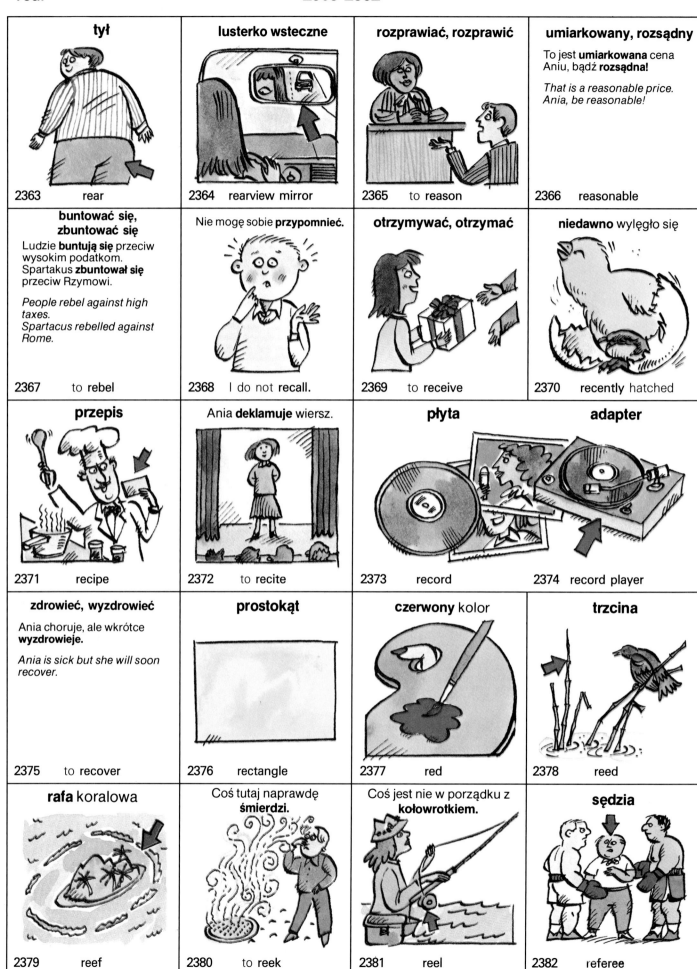

tył
2363   rear

lusterko wsteczne
2364   rearview mirror

rozprawiać, rozprawić
2365   to reason

umiarkowany, rozsądny
To jest **umiarkowana** cena Aniu, bądź **rozsądna!**

That is a reasonable price. Ania, be reasonable!

2366   reasonable

buntować się, zbuntować się
Ludzie **buntują się** przeciw wysokim podatkom. Spartakus **zbuntował się** przeciw Rzymowi.

People rebel against high taxes.
Spartacus rebelled against Rome.

2367   to rebel

Nie mogę sobie **przypomnieć.**

2368   I do not **recall.**

otrzymywać, otrzymać
2369   to receive

niedawno wylęgło się

2370   **recently** hatched

przepis
2371   recipe

Ania **deklamuje** wiersz.

2372   to recite

płyta   adapter
2373   record   2374   record player

zdrowieć, wyzdrowieć
Ania choruje, ale wkrótce **wyzdrowieje.**

Ania is sick but she will soon recover.

2375   to recover

prostokąt
2376   rectangle

czerwony kolor
2377   red

trzcina
2378   reed

rafa koralowa
2379   reef

Coś tutaj naprawdę **śmierdzi.**

2380   to reek

Coś jest nie w porządku z **kołowrotkiem.**

2381   reel

sędzia
2382   referee

odbicie

2383   reflection

Ktoś zostawił otwarte drzwi do lodówki.

2384   refrigerator

odmawiać, odmówić

2385   to refuse

rejon, okolica

2386   region

zapisywać się, zapisać się

2387   to register

Tomek żałuje straconych lodów.

2388   to regret

Artyści odbywają próbę sztuki.

2389   Actors rehearse a play.

renifer

2390   reindeer

cugle

2391   reins

krewni

2392   relatives

odpoczywać, odpocząć

2393   to relax

wypuszczać, wypuścić

2394   to release

Pamiętaj o czyszczeniu zębów.

2395   Remember to brush your teeth.

odległa wyspa

2396   remote island

Filip zdejmuje kapelusz.

2397   to remove

wynająć, wypożyczyć

Wynajmujemy mieszkanie. Jeżeli nie masz samochodu, możesz go **wypożyczyć**.

We rent an apartment. If you don't have a car, you can rent one.

2398   to rent

naprawiać, naprawić

2399   to repair

Papuga powtarza każde słowo.

2400   to repeat

wymieniać, wymienić

2401   to replace

On się spytał, a ona odpowiedziała.

2402   to reply

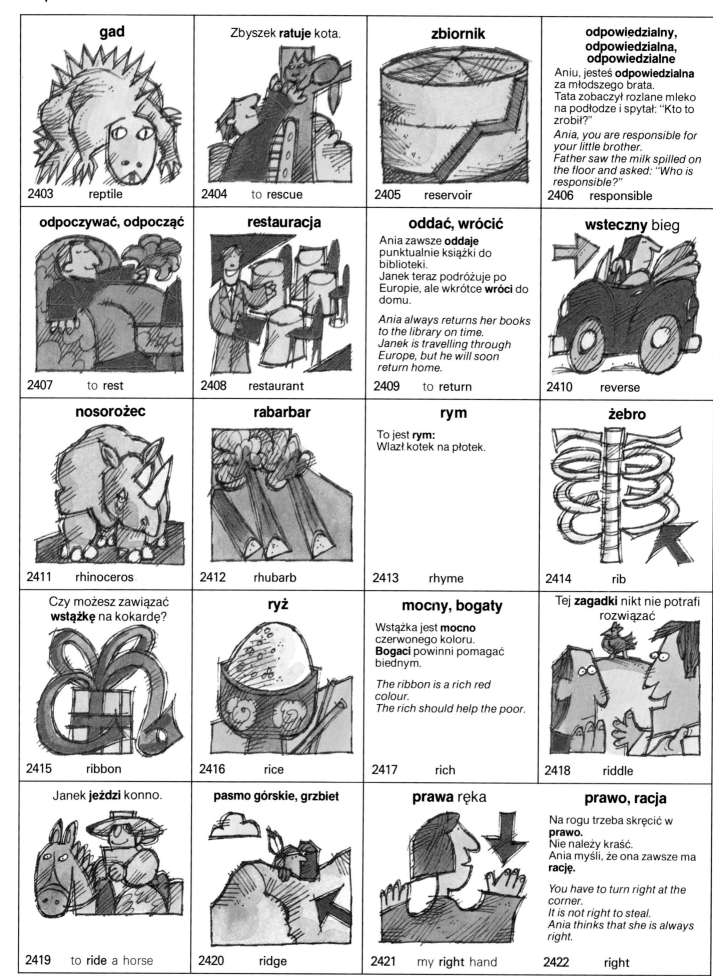

gad
2403 reptile

Zbyszek **ratuje** kota.
2404 to rescue

zbiornik
2405 reservoir

odpowiedzialny, odpowiedzialna, odpowiedzialne
Aniu, jesteś **odpowiedzialna** za młodszego brata.
Tata zobaczył rozlane mleko na podłodze i spytał: "Kto to zrobił?"

Ania, you are responsible for your little brother.
Father saw the milk spilled on the floor and asked: "Who is responsible?"
2406 responsible

odpoczywać, odpocząć
2407 to rest

restauracja
2408 restaurant

oddać, wrócić
Ania zawsze **oddaje** punktualnie książki do biblioteki.
Janek teraz podróżuje po Europie, ale wkrótce **wróci** do domu.

Ania always returns her books to the library on time.
Janek is travelling through Europe, but he will soon return home.
2409 to return

wsteczny bieg
2410 reverse

nosorożec
2411 rhinoceros

rabarbar
2412 rhubarb

rym
To jest **rym**:
Wlazł kotek na płotek.
2413 rhyme

żebro
2414 rib

Czy możesz zawiązać **wstążkę** na kokardę?
2415 ribbon

ryż
2416 rice

mocny, bogaty
Wstążka jest **mocno** czerwonego koloru.
Bogaci powinni pomagać biednym.

The ribbon is a rich red colour.
The rich should help the poor.
2417 rich

Tej **zagadki** nikt nie potrafi rozwiązać
2418 riddle

Janek **jeździ** konno.
2419 to ride a horse

pasmo górskie, grzbiet
2420 ridge

prawa ręka
2421 my right hand

prawo, racja
Na rogu trzeba skręcić w **prawo**.
Nie należy kraść.
Ania myśli, że ona zawsze ma **rację**.

You have to turn right at the corner.
It is not right to steal.
Ania thinks that she is always right.
2422 right

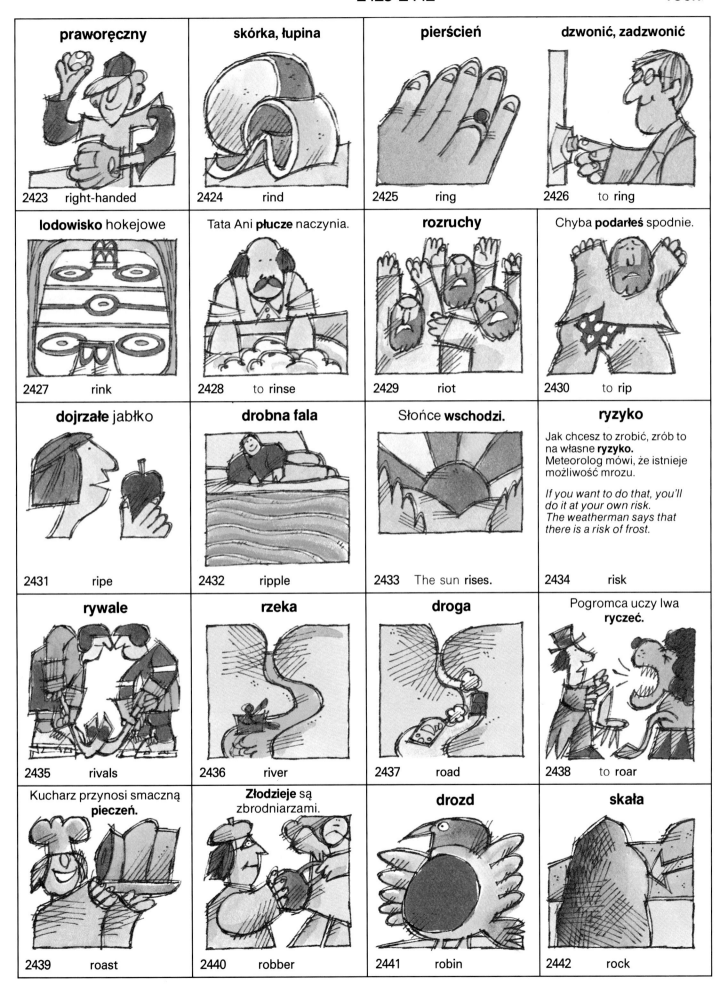

praworęczny	**skórka, łupina**	**pierścień**	**dzwonić, zadzwonić**
2423 right-handed	2424 rind	2425 ring	2426 to ring
lodowisko hokejowe	Tata Ani **płucze** naczynia.	**rozruchy**	Chyba **podarłeś** spodnie.
2427 rink	2428 to rinse	2429 riot	2430 to rip
dojrzałe jabłko	**drobna fala**	Słońce **wschodzi.**	**ryzyko**
			Jak chcesz to zrobić, zrób to na własne **ryzyko.** Meteorolog mówi, że istnieje możliwość mrozu.
			If you want to do that, you'll do it at your own risk. The weatherman says that there is a risk of frost.
2431 ripe	2432 ripple	2433 The sun rises.	2434 risk
rywale	**rzeka**	**droga**	Pogromca uczy lwa **ryczeć.**
2435 rivals	2436 river	2437 road	2438 to roar
Kucharz przynosi smaczną **pieczeń.**	**Złodzieje** są zbrodniarzami.	**drozd**	**skała**
2439 roast	2440 robber	2441 robin	2442 rock

bujać się, pobujać się	**rakieta**	fotel na biegunach, bujak	**wędka**
2443 to rock	2444 rocket	2445 rocking chair	2446 rod
rolka papieru toaletowego	**toczyć się, stoczyć się**	**wrotki**	**wałek do ciasta**
2447 roll	2448 to roll	2449 roller skate	2450 rolling pin
Dach naszego domu jest pokryty dachówką.	**pokój**	Kura **siedzi na grzędzie.**	**korzeń**
2451 roof	2452 room	2453 to roost	2454 root
powróz, sznur	**róża**	**rozmaryn**	Kasia ma **rumiane** policzki.
2455 rope	2456 rose	2457 rosemary	2458 rosy
zgniłe jabłko	On ma **szorstką** brodę.	**okrągły** guzik	cztery guziki w **rzędzie**
2459 rotten apple	2460 rough	2461 round	2462 4 buttons in a row

Ona **wiosłuje** szybciej od Michała.
2463   to row

Król jest głową rodziny **królewskiej.**
2464   royal

Opony i piłki są zrobione z **gumy.**
2465   rubber

śmieci
2466   rubbish

rubin
2467   ruby

ster
2468   rudder

On jest **niegrzeczny i źle wychowany.**
2469   He is rude.

nierówny teren
2470   rugged terrain

ruiny starego zamku
2471   ruin

władza, przepis, reguła

Niektóre państwa są pod **władzą** króla.
Ania rzadko łamie **przepisy.**
W tym domu mama i tata ustanawiają **reguły.**

Some countries are under the rule of a king.
Ania seldom breaks the rules.
Mom and dad make the rules in this house.

2472   rule

Król jest **władcą.**
2473   ruler

Słyszę **huk.**
2474   I hear a rumble.

Gdzie on tak szybko **biegnie?**
2475   to run

uciekać, uciec
2476   to run away

przejeżdżać, przejechać
2477   to run over

wyczerpywać energię, **wyczerpać** energię
2478   to run out of energy

śpieszyć się, pośpieszyć się
2479   to rush

rdza
2480   rust

bruzda, koleina
2481   rut

żyto
2482   rye

worek mąki

2483   sack

Prawda jest rzeczą **świętą.**

2484   Truth is a **sacred** principle.

smutny

2485   sad

siodło

2486   saddle

Co znajduje się w **kasie pancernej?**

2487   safe

żagiel

2488   sail

deska z żaglem

2489   sailboard

żaglówka

2490   sailboat/sailing boat*

marynarz

2491   sailor

sałata

2492   salad

To jest na **wyprzedaży.**

2493   sale

łosoś

2494   salmon

sól i pieprz

2495   salt

salutować, zasalutować

2496   to salute

te **same**

2497   same

piasek

2498   sand

sandał

2499   sandal

Ania zawsze robi swoje **kanapki.**

2500   sandwich

sok

2501   sap

W puszce jest dużo **sardynek.**

2502 sardine

satelita

2503 satellite

atłasowa sukienka

2504 satin dress

sobota

Sobota jest szóstym dniem tygodnia.
Ania lubi **soboty**, bo w **sobotę** chodzi na lekcję języka polskiego.

Saturday is the sixth day of the week.
Ania likes Saturdays, because she goes to her Polish class.

2505 Saturday

sos

2506 sauce/gravy*

kiełbasa

2507 sausage

Oszczędzam pieniądze.

2508 I save my money.

Ta **piła** jest bardzo ostra.

2509 saw

trociny

2511 sawdust

Zawsze **mówię** to, co myślę.

2512 I say what I think.

rusztowanie

2513 scaffolding

piłować, przepiłować

2510 to saw

Ostrożnie, bo **oparzysz się.**

2514 to scald

waga

2515 scale

muszla

2516 scallop

owłosiona skóra głowy

2517 scalp

Ten człowiek ma wielką **bliznę.**

2518 scar

Ona lubi go **straszyć.**

2519 to scare

Stoi na polu **strach na wróble.**

2520 scarecrow

szalik

2521 scarf

purpurowy kolor	**miejsce** przestępstwa	**krajobraz**	zdobywanie **wiedzy**
2522 scarlet	2523 scene of a crime	2524 scenery	2525 scholarship
Ania chodzi do tej **szkoły.**	**skuner**	**nożyczki**	**wybierać, wybrać**
2526 school	2527 schooner	2528 scissors	2529 to scoop
skuter	**przypalony** papier	**zdobywać punkt, zdobyć punkt**	**harcerz**
2530 scooter	2531 scorched paper	2532 to score	2533 scout
świstki papieru	Zawsze **zdzieram** sobie kolana.	**skrobaczka**	**zadrapanie**
2534 scraps of paper	2535 scrape	2536 scraper	2537 scratch
siatka	**śruba**	**śrubokręt**	Władek **szoruje** podłogę.
2538 screen	2539 screw	2540 screwdriver	2541 to scrub

rzeźbiarz	**konik morski**	**Morze** Adriatyckie	**mewa**
2542　sculptor	2543　seahorse	2544　Adriatic sea	2545　seagull
foka	**szew**	**szukać, poszukać**	**reflektor**
2546　seal	2547　seam	2548　to search	2549　searchlight
pory roku Cztery **pory roku** to są wiosna, lato, jesień i zima. *The four seasons are spring, summer, autumn and winter.*	**siedzenie**	Ania założyła **pas bezpieczeństwa.**	**wodorosty**
2550　seasons	2551　seat	2552　seatbelt	2553　seaweed
drugi na mecie	Mam **sekret.**	**widzieć, zobaczyć**	**huśtawka**
2554　second	2555　I have a **secret.**	2556　to see	2557　see-saw
nasienie	**Wydaje się**, że ptak zdechł.	**chwycić, uchwycić**	Jesteś **samolubny.**
2558　seed	2559　It **seems** to be dead.	2560　to seize	2561　You are **selfish.**

Janka **sprzedaje** owoce.	**półkole**	**posyłać, posłać**	Ona ma bardzo **delikatną** skórę.
2562 to sell	2563 semicircle	2564 to send	2565 sensitive skin

zdanie, wyrok

Czy potrafisz ułożyć **zdanie?**
Wyrok sądu był sprawiedliwy.

Can you make a sentence?
The sentence of the court was just.

2566 sentence

posterunek	We **wrześniu** dzieci wracają do szkoły.	**podawać, podać**
2567 sentry	2568 September	2569 to serve

siedem	**siódma** foka	**kilka**	**szyć, uszyć**
2570 seven	2571 seventh	2572 several	2573 to sew

maszyna do szycia	**zniszczony** fotel	**chałupa, chata**	**cień**
2574 sewing machine	2575 shabby	2576 shack	2577 shadow

kudłaty pies	**potrząsać, potrząsnąć**	**płytka** woda	Mama myje włosy **szamponem.**
2578 shaggy	2579 to shake	2580 shallow water	2581 shampoo

Możemy tym **się podzielić.**	**Rekin** pływa w wodzie.	**ostry**	**przyrząd do ostrzenia noży**
2582 to share	2583 shark	2584 sharp	2585 knife sharpener
Szklanka **stłukła się.**	**golić, ogolić**	**nożyce**	**przyrząd do ostrzenia łyżew**
2588 to shatter	2589 to shave	2590 shears	2586 skate sharpener
pochwa	Przed zaśnięciem Ania liczy **owce.**	**prześcieradło**	**temperówka**
2591 sheath	2592 sheep	2593 sheet	2587 pencil sharpener
półka	**muszla**	**schron**	**pasterz**
2594 shelf	2595 shell	2596 shelter	2597 shepherd
tarcza	**goleń**	Słońce jasno **świeci.**	**gont**
2598 shield	2599 shin	2600 to shine	2601 shingle

Półpasiec jest chorobą.

2602   shingles

błyszcząca korona

2603   shiny

okręt

2604   ship

rozbity statek

2605   shipwreck

koszula

2606   shirt

drżeć, zadrżeć

2607   to shiver

On był nieostrożny i doznał **porażenia** prądem.

2608   shock

buty

2609   shoes

sznurowadło

2610   shoelace

szewc

2611   shoemaker

strzelać, strzelić

2612   to shoot

sklep

2613   shop

sklepikarz

2614   shopkeeper

wystawa **sklepowa**

2615   shop window

Jezioro zaczyna się od **brzegu.**

2616   shore

niski, niewysoki

2617   short

szorty

2618   shorts

ramię

2619   shoulder

krzyczeć, krzyknąć

2620   to shout

Niegrzeczny chłopiec **popchnął** panią.

2621   to shove

łopata do śniegu
2622   shovel

pokazywać, pokazać
2623   to show

popisywać się, popisać się
2624   to show off

On nareszcie **się zjawił.**
2625   to show up / appear*

Kazio bierze **prysznic.**
2626   shower

wrzeszczeć, wrzasnąć
2627   to shriek

krewetka
2628   shrimp

kurczyć się, skurczyć się
2629   to shrink

krzak, krzew
2630   shrub

On umie szybko **tasować** karty.
2631   shuffle

okiennice
2632   shutters

nieśmiały chłopiec
2633   shy

chory
2634   sick

bok, strona
2635   side

Należy chodzić po **chodniku** a nie po ulicy.
2636   sidewalk / pavement*

wzdychać, westchnąć
2637   to sigh

plakat, napis
2638   sign

dawać sygnały, dać sygnały
2639   to signal

podpis
2640   signature

cichy, cicha, ciche

Ania powinna częściej milczeć.
"**Cicha** noc" jest kolędą.

Ania should be silent more often.
"Silent Night" is a Christmas carol.

2641   silent

parapet

2642   sill

niepoważny, niepoważna, niepoważne

Janusz myśli, że Ania jest **niepoważna.**
Ania myśli, że Janusz mówi głupstwa.

Janusz thinks that Ania is silly.
Ania thinks that Janusz says silly things.

2643   silly

srebro

2644   silver

prosty, prosta, proste

Znalazłem **proste** rozwiązanie tej zagadki.

I found a simple solution to that riddle.

2645   simple

śpiewać, zaśpiewać

2646   to sing

liczba pojedyncza

„Człowiek" to jest **liczba pojedyncza,** a „ludzie" to jest liczba mnoga.

"Person" is the singular, "people" is the plural.

2647   singular

zlew

2648   sink

Jak nie umiesz pływać, to **utoniesz.**

2649   to sink

Magda **popija** wino.

2650   to sip

syrena

2651   siren

siostra

2652   sister

siedzieć, posiedzieć

2653   to sit

sześć

2654   six

szósta osoba

2655   sixth

Czy pani to ma w moim **rozmiarze?**

2656   size

jeździć na łyżwach

2657   to skate

deska na wrotkach

2658   skateboard

kościotrup w szafie

2659   skeleton

szkicować, naszkicować

2660   to sketch

narty

2661   skis

jeździć na nartach	Rower **poślizgnął się.**	**skóra**	**skakać** na skakance
2662 to ski	2663 to skid	2664 skin	2665 to skip
kapitan statku	**spódnica, spódniczka**	**czaszka**	Na **niebie** są chmury.
2666 skipper/captain*	2667 skirt	2668 skull	2669 sky
skowronek polny	Wieżowiec też można nazwać **drapaczem chmur.**	On **zatrzasnął drzwi.**	**pochyła** podłoga
2670 skylark	2671 skyscraper	2672 to slam	2673 slanting floor
uderzać w twarz, uderzyć w twarz	Zorro wszystko **tnie** szablą.	**tabliczka**	**sanie, saneczki**
2674 to slap	2675 to slash	2676 slate	2677 sled/sleigh*
Zorro już **śpi.**	**śpiwór**	Paweł jest **śpiący.**	**deszcz ze śniegiem**
2678 to sleep	2679 sleeping bag	2680 sleepy	2681 sleet

rękaw

2682   sleeve

zjeżdżalnia

2683   slide

szczupła dziewczyna

2684   slim

śliskie stworzenie

2685   slimy

On ma rękę na **temblaku.**

2686   sling

proca

2687   slingshot / catapult*

pośliznąć się

2688   to slip

pantofel

2689   slipper

śliska ryba

2690   slippery

Co to za **brudas!**

2691   slob

zbocze

2692   slope

otwór na monetę

2693   slot

Nie należy się **garbić.**

2694   to slouch

zwolnić

Tata **zwolnił** samochód, gdy dojeżdżał do rogu.
Zwolnij tato, jedziesz za szybko!
Nic nie **zwolni** tempa pracy Ani.

Dad slowed down the car when he approached the corner.
Slow down, dad, you're driving too fast.
Nothing will slow down the speed of Ania's work.

2695   to slow down

stopniały śnieg

2696   slush

mały pies

2697   small

inteligentny, mądry, elegancki

Ania myśli, że jest bardzo **inteligentna,** dlatego że zdała egzamin.
To było bardzo **mądre** z twojej strony.
Ona nosi **elegancką** sukienkę.

Ania thinks that she is very smart because she passed her examination.
That was smart of you.
She is wearing a smart dress.

2698   smart / clever*

Dlaczego on chce **rozbić** zegarek?

2699   to smash

mazać, pomazać

2700   to smear

Henryk **wącha** kwiat.

2701   to smell

Co to za **śmierdzący** tchórz!	Ludzie, którzy **palą**, zanieczyszczają powietrze.	**gładki, gładka, gładkie** Ania jeździ na łyżwach po bardzo **gładkim** lodzie. Powierzchnia stołu jest **gładka**. *Ania is skating on very smooth ice.* *The top of the table is smooth.*	**przekąsać, przekąsić**
2702 smelly	2703 to smoke	2704 smooth	2705 to have a snack
ślimak	**wąż**	**pękać, pęknąć**	**tenisówki**
2706 snail	2707 snake	2708 to snap	2709 sneakers/trainers*
kichać, kichnąć	**sprzęt nurkowy**	**śnieg**	**płatek śnieżny**
2710 to sneeze	2711 snorkel	2712 snow	2713 snowflake
raki	Umyj ręce **mydłem!**	**piłka nożna**	**skarpetka**
2714 snowshoes	2715 soap	2716 soccer	2717 sock
gniazdko	**kanapa**	**miękki** i pieszczotliwy kotek	**żołnierz**
2718 socket	2719 sofa/couch*	2720 soft	2721 soldier

sola

2722   sole

Ona **rozwiązuje** zadanie.

2723   She **solves** the problem.

fikać koziołka, fiknąć koziołka

2724   to **somersault**

syn

2725   son

pieśń, piosenka

2726   song

wkrótce, wnet

Wkrótce będzie ciemno.
Ania **wnet** będzie w domu.

It will soon be dark.
Ania will be home soon.

2727   soon

czarodziej

2728   sorcerer

Boli mnie ręka.

2729   My arm is **sore**.

Szczaw jest bardzo smaczny.

2730   sorrel

Piesek bardzo **żałuje** tego, że pogryzł but.

2731   sorry

sortować, posortować

2732   to **sort**

zupa

2733   soup

kwaśna cytryna

2734   sour

południe

2735   south

Maciora jest matką prosiąt.

2736   sow

siać, posiać

2737   to **sow**

statek kosmiczny

2738   spaceship

łopata

2739   spade

dawać klapsa, dać klapsa

2740   to **spank**

Każdy samochód powinien mieć **zapasową** oponę.

2741   spare tire / tyre*

iskra	Jej pierścionki **błyszczą** w słońcu.	**wróbel**	Oni obaj **mówią** po angielsku.
2742 spark	2743 to sparkle	2744 sparrow	2745 to speak
kopia	Żółw idzie powoli nawet jak **się śpieszy.**	**literować, przeliterować**	**wydawać pieniądze, wydać pieniądze**
2746 spear	2747 to speed up	2748 to spell	2749 to spend
Kula jest okrągła.	ostre i **pikantne** jedzenie	**Pająk** snuje pajęczynę.	**szpic**
2750 sphere	2751 spicy	2752 spider	2753 spike
rozlewać, rozlać	**kręcić się, zakręcić się**	**szpinak**	**kręgosłup**
2754 to spill	2755 to spin	2756 spinach	2757 spine
spirala	**iglica, wieża**	Grzeczni ludzie nie **plują.**	**chlapać, chlapnąć**
2758 spiral	2759 spire	2760 to spit	2761 to splash

Wszędzie są **drzazgi**.	**zepsute** owoce	**gąbka**	**szpulka** nici
2762 splinter	2763 spoiled/rotten* fruit	2764 sponge	2765 spool/reel*
łyżka, łyżeczka	Skąd się zjawiła ta **plamka?**	**dziubek**	Ania **zwichnęła** nogę w kostce.
2766 spoon	2767 spot	2768 spout	2769 to sprain
pryskać, spryskać	**smarować, posmarować**	**sprężyna**	Już nastąpiła **wiosna**.
2770 to spray	2771 to spread	2772 spring	2773 spring
posypywać, posypać	Ona **biegnie sprintem**.	**świerk**	**Źródło** wypływa z ziemi.
2775 to sprinkle	2776 to sprint	2777 spruce	2774 spring
kwadrat	**dynia**	**kucać, kucnąć**	Ania **ściska** swoją koleżankę.
2778 square	2779 squash	2780 to squat	2781 to squeeze

kałamarnica

2782 squid

wiewiórka

2783 squirrel

tryskać, trysnąć

2784 to squirt

Konie stoją w **stajni.**

2785 stable

Baletnica tańczy na **scenie.**

2786 stage

plama

2787 stain

schody

2788 staircase

drewniany **pal**

2789 wooden stake

czerstwy

Czerstwy chleb jest suchy i twardy.

The stale bread is dry and hard.

2790 stale bread

łodyga selera

2791 celery stalk

piękny **ogier**

2792 stallion

znaczek

37

2793 stamp

stać

2794 to stand

gwiazda

2795 star

Ania **wpatruje się** w ciebie.

2796 to stare

szpak

2797 starling

zapalać samochód

2798 to start a car

umierać z głodu

Jak Ania mówi „**Umieram z głodu**", to znaczy, że ona jest głodna.

When Ania says "I'm starving," she means that she is hungry.

2799 to starve

stacja benzynowa

2800 gas/petrol* station

dworzec kolejowy

2801 train/railway* station

posąg

2802 statue

Zostań!

2803 Stay there!

befsztyk

2804 steak

kraść, ukraść

2805 to steal

para

2806 steam

Noże są zrobione ze stali.

2807 Kinves are made of **steel**.

strome wzgórze

2808 steep

młody **wół**

2809 steer/bullock*

łodyga

2811 stem

stopień

2812 step

Ona **weszła** do kałuży.

2813 to step in

kierować samochodem

2810 to steer

Tata ugotował **gulasz** na kolację.

2815 stew

kij

2816 stick

Wychodzę na chwilę.

2814 to step out

Jego ręce są **lepkie.**

2817 sticky

zesztywniały, sztywny

Wujek Józek ma **zesztywniałą** nogę. Nowy pasek skórzany jest **sztywny.**

Uncle Józek has a stiff leg. A new leather belt is stiff.

2818 stiff

To naprawdę **piecze.**

2819 to sting

ukłucie pszczoły

2820 sting

Tchórz **śmierdzi.**

2821 to stink

Zamieszaj to dobrze zanim skosztujesz.

2822   to stir

pończochy

2823   stockings

palić, spalić

2824   to stoke

żołądek

2825   stomach

Rzucanie **kamieni** jest bardzo niebezpieczne.

2826   stone

stołek, taboret

2827   stool

Ona **się schyla**, żeby złapać piłkę.

2828   to stoop/bend down*

stop

2829   stop

sklep

2832   store/shop*

Czy to jest ten **bocian**, który przyniósł Anię?

2833   stork

burza

2834   storm

On **zatrzymuje** pociąg.

2830   He **stops** the train.

Ciocia Marysia czyta **opowiadanie.**

2835   story

piec, kuchnia

2836   stove/cooker*

prosta linia

2837   straight

przerwa w podróży

2831   to stop over

cedzić, przecedzić

2838   to strain

naprężać, naprężyć

2839   to strain

To jest bardzo **dziwne** zwierzę.

2840   strange

Zbyszek doszedł za blisko i teraz małpa go **dusi.**

2841   to strangle

ramiączko	**słomka**	**truskawka**	**strumień**
2842 strap	2843 straw	2844 strawberry	2845 stream
chorągiewka	**ulica**	**latarnia uliczna**	Ona **rozciąga** akordeon.
2846 streamer/pennant*	2847 street	2848 street light/lamp*	2849 to stretch
nosze	**strajkować, zastrajkować** Robotnicy **strajkują**, ponieważ chcą więcej pieniędzy. *The workers are on strike for more money.*	Nie należy nikogo **uderzać.**	**sznurek**
2850 stretcher	2851 strike	2852 to strike	2853 string
dużo **pasków**	**silny, mocny**	**student, uczeń**	**studiować, uczyć się**
2854 stripe	2855 strong	2856 student	2857 to study
wypchane zwiążrzątko	**pień**	**Łódź podwodna** pływa pod wodą.	**odejmować, odjąć**
2858 a **stuffed** animal	2859 stump	2860 submarine	2861 to subtract

ssać, possać  2862 to suck	**nagle** Deszcz **nagle** zaczął padać. Joanna **nagle** wyszła. *It suddenly began to rain. Joanna suddenly left.* 2863 suddenly	Za dużo **cukru** szkodzi na zdrowie. 2864 sugar	**garnitur** 2865 suit
walizka 2866 suitcase	**lato** 2867 summer	**słońce** 2868 sun	**niedziela** **Niedziela** jest siódmym dniem tygodnia. *Sunday is the seventh day of the week.* 2869 Sunday
Zegar słoneczny pokazuje, która jest godzina. 2870 sundial	**Słonecznik** zawsze stoi twarzą do słońca. 2871 sunflower	**wschód słońca** 2872 sunrise	**zachód słońca** 2873 sunset
Zawsze robimy zakupy w **supersamie.** 2874 supermarket	**kolacja** 2875 supper/dinner*	**pewny, pewna, pewne** Jestem **pewny,** że jutro będzie słońce. Ania jest **pewna** siebie. *I am sure that tomorrow will be sunny. Ania is sure of herself.* 2876 sure	**powierzchnia** 2877 surface
chirurg 2878 surgeon	**nazwisko** Na imię mam Ania, a na **nazwisko** Bielska. *My name is Ania and my surname is Bielska.* 2879 surname	zabawa **niespodziankowa** 2880 surprise party	**poddawać się, poddać się** 2881 to surrender

Oni go **otoczyli.**

2882 to surround

szelki

2883 suspenders/braces*

połykać, połknąć

2884 to swallow

łabędź

2885 swan

wymieniać, wymienić

2886 to swap

rój pszczół

2887 swarm

pocić się, spocić się

2888 to sweat

sweter

2889 sweater/sweatshirt*

zamiatać, zamieść

2890 to sweep

słodki tort

2891 sweet

Samochód **skręcił w bok,** żeby nie przejechać kota.

2892 to swerve

pływać, popływać

2893 to swim

huśtawka

2894 swing

huśtać się, pohuśtać się

2895 to swing

przełącznik

2896 switch

włączyć, wyłączyć, zamienić

Proszę **włączyć** światło.
Możemy **zamienić** się miejscami, żebyś widziała lepiej.
Lepiej **wyłączyć** telewizję.

*Switch on the light please.
We can switch places so you can see better.
It's better to switch off the television.*

2897 to switch

runąć w dół

2898 to swoop

miecz

2899 sword

jawor

2900 sycamore

naleśniki z **syropem**

2901 syrup

stół  2902 table	**obrus** 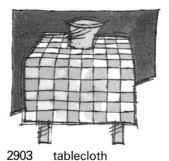 2903 tablecloth

tabletka, proszek

2904   tablet

pineska

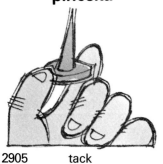

2905   tack

zabrać się, zatrzymać

Ania wkrótce musi **się zabrać** do tego zadania.
Adam **zatrzymał** Henryka podczas gry piłki nożnej.

Ania must tackle that problem soon.
Adam tackled Henryk during the soccer game.

2906   to tackle

Kijanki stają się żabami.

2907   tadpole

ogon

2908   tail

brać, wziąć

2910   to take

rozbierać na części, rozebrać na części

2911   to take apart

zabierać, zabrać

2912   to take away

oddawać, oddać

2913   to take back

zdejmować, zdjąć

2914   to take off

odlatywać, odlecieć

2915   to take off

wyjmować, wyjąć

2916   to take out

na wynos

2917   take-out / take-away*

krawiec

2909   tailor

opowiadanie, bajka

2918   tale

talent

Ewa ma wielki **talent** aktorski. Sukces składa się z ciężkiej pracy i **talentu.**

Ewa has great acting talent.
Success is made up of hard work and talent.

2919   talent

rozmawiać, porozmawiać

2920   to talk

wysoki koszykarz

2921   tall

tamburyn

2922   tambourine

Lwy w cyrku są **oswojone.**

2923   tame

opalenizna

2924   tan

mandarynka

2925   tangerine

poplątany sznurek

2926   tangled

zbiornik

2927   tank

tankowiec

2928   tanker

Z tego **kranu** kapie woda.

2929   tap

taśma

2930   tape

**przyklejać taśmą,
przykleić taśmą**

2931   to tape

magnetofon

2932   tape recorder

smoła

2933   tar

tarcza strzelnicza

2934   target

estragon

2935   tarragon

babeczka

2936   tart

Jego **zadaniem** jest
zamiatanie podłogi.

2937   task

kosztować, skosztować

2938   to taste

**smaczny, smaczna,
smaczne**

To jest bardzo **smaczne**
jedzenie.

This is very tasty food.

2939   tasty

taksówka

2940   taxi

filiżanka **herbaty**	Pani Sosnowska nas **uczy** w szkole.
2941 a cup of **tea**	2942 to **teach**

Ona jest naszą **nauczycielką.**	My wszyscy jesteśmy w tej samej **drużynie.**
2943 **teacher**	2944 **team**

czajnik

2945   **teapot**

łza

2946   **tear**

rwać, porwać

2947   to **tear**

Nigdy nie **wyrywaj** stronic z książek.

2948   to **tear** out

telegram, depesza

2949   **telegram**

telefon

2950   **telephone**

telefonować, zatelefonować

2951   to **telephone**

teleskop

2952   **telescope**

telewizja, telewizor

2953   **television**

mówić, powiedzieć

2954   to **tell**

złość

Gienek łatwo wpada w **złość.** On nie może panować nad sobą.

Gienek has a quick temper. He cannot control his temper.

2955   **temper**

temperatura

2956   **temperature**

dziesięć jabłek

2957   **ten** apples

rakieta i piłka **tenisowa**

2958   **tennis** racquet and ball

tenisówka

2959   **tennis** shoe

Ania spała w **namiocie.**

2960   **tent**

dziesiąty ślimak	**stacja** komputerowa	**sprawdzać, sprawdzić**	**dziękować, podziękować**
2961 tenth	2962 terminal	2963 to **test** the water	2964 to thank
Na wiosnę ziemia **odmarza.**	**teatr**	**tam**	**termometr**
2965 to thaw	2966 theater/theatre*	2967 there	2968 thermometer
gruby pień	**Złodziej** jest rabusiem.	**udo**	**naparstek**
2969 thick	2970 thief	2971 thigh	2972 thimble
cienki pień	**rzecz** Osoba nie jest **rzeczą.** Ania mówi dużo śmiesznych **rzeczy.** *A person is not a thing.* *Ania says many funny things.*	**myśleć, pomyśleć**	**trzeci** ślimak
2973 thin	2974 thing	2975 to think	2976 third
spragniony wielbłąd	**oset**	**Ciernie** kłują.	**nić**
2977 thirsty	2978 thistle	2979 thorn	2980 thread

Ania potrafi **nawlec** igłę.	**trzy** jabłka	**próg**	**gardło**
2981 to thread	2982 three	2983 threshold	2984 throat

tron królewski	**rzucać, rzucić**	**wymiotować, zwymiotować**	**kciuk**
2985 throne	2986 to throw	2987 to throw up/be sick*	2988 thumb

Grzmot jest głośny.	**burza z piorunami**	**czwartek**	**tymianek**
		Czwartek jest czwartym dniem tygodnia. W **czwartki** Ania chodzi na basen. *Thursday is the fourth day of the week. On Thursdays Ania goes to the swimming pool.*	
2989 thunder	2990 thunderstorm	2991 Thursday	2992 thyme

bilet	**łaskotać, połaskotać**	Przynajmniej jeden z nich jest **schludny**.	Umiem wiązać **krawat**.
2993 ticket	2994 to tickle	2995 tidy	2996 tie

tygrys	**zaciskać, zacisnąć**	**kafle, dachówki**	**wiązać, zawiązać**
2998 tiger	2999 to tighten	3000 tiles	2997 to tie

Łódka przechyla się niebezpiecznie.	**Która jest godzina?**	**malutka** dziewczynka	**Łódka przewróciła się.**
3001 to tilt	3002 What **time** is it?	3003 tiny	3004 to tip
chodzić na palcach	Nasz samochód potrzebuje nowych **opon.**	**zmęczony**	**dawać napiwek, dać napiwek**
3006 tiptoe	3007 tire/tyre*	3008 tired	3005 to tip
ropucha	**grzanki** z dżemem	**opiekacz**	**dzisiaj**
			Dzisiaj się zacznie szkoła. **Dzisiaj** jest Dzień Matki. Odrób lekcje **dzisiaj!** *School starts today.* *Today is Mother's Day.* *Do your homework today!*
3009 toad	3010 toast	3011 toaster	3012 today
palce u nóg	Siedzimy **razem.**	**muszla klozetowa**	**pomidor**
3013 toes	3014 We are sitting **together.**	3015 toilet	3016 tomato
grób, grobowiec	**jutro**	**szczypce**	Niegrzeczny chłopiec wystawia **język.**
	Jutro będzie nowy dzień. **Jutro** Ania pójdzie do muzeum. *Tomorrow is another day.* *Ania is going to the museum tomorrow.*		
3017 tomb	3018 tomorrow	3019 tongs	3020 tongue

Słoń waży tonę. 3021　It weighs a ton.	**migdałki** 3022　tonsils	**narzędzia** 3023　tools	**ząb** 3024　tooth
ból zęba 3025　toothache	**szczoteczka do zębów** 3026　toothbrush	**pasta do zębów** 3027　toothpaste	**wierzch** 3028　top
Klocki **się przewracają.** 3030　to topple	**pochodnia** olimpijska 3031　torch	**tornado, huragan** 3032　tornado	**Bąk** się kręci. 3029　top
rwący potok 3033　torrent	**żółw** 3034　tortoise	Krzysztof **rzuca** do niej piłkę. 3035　to toss	**dotykać, dotknąć** 3036　to touch
Jestem **nieustępliwy.** 3037　I am tough.	**holować, przyholować** 3038　to tow	**Ręcznik** Ani jest mokry. 3039　towel	To jest najwyższa samostojąca **wieża** na świecie. 3040　tower

Ania mieszka w tym **mieście.**

3041   town

Proszę pozbierać **zabawki.**

3042   toys

kalkować, przekalkować

3043   to trace

tor

3044   track

traktor

3045   tractor

wymieniać, wymienić

3046   to trade

wielki **ruch na drodze**

3047   traffic

sygnały drogowe

3048   traffic light

ślad

3049   trail

W **przyczepce** jedzie koń.

3050   trailer

pociąg

3051   train

Ona dobrze **wytresowała** Reksa.

3052   to train

włóczęga

3053   tramp

Niedbali ludzie **depczą** kwiaty.

3054   to trample

trampolina

3055   trampoline

Czyste szkło jest zupełnie **przezroczyste.**

3056   transparent

przewozić, przewieźć

3057   to transport

wóz ciężarowy

3058   transporter/lorry*

pułapka

3059   trap

trapez

3060   trapeze

Ciocia.Wacława **podróżuje** pociągiem.
3061   to travel

Taca jest pełna szklanek.
3062   tray

bieżnik
3063   tread

skarb
3064   treasure

drzewo
3065   tree

Julia **trzęsie się** ze strachu.
3066   to tremble

rów
3067   trench

rozprawa sądowa
3068   trial

Trójkąt ma trzy boki.
3069   triangle

sztuczka magiczna
3070   trick

Woda **leje się ciurkiem.**
3071   to trickle

rower na trzech kółkach
3072   tricycle

spust, cyngiel
3073   trigger

podcinać, podciąć
3074   to trim

krótka **podróż**
3075   a short trip

potykać się, potknąć się
3076   to trip

trolejbus
3077   trolley bus

Źrebak **kłusuje** po ścieżce.
3078   to trot

koryto
3079   trough

spodnie
3080   trousers

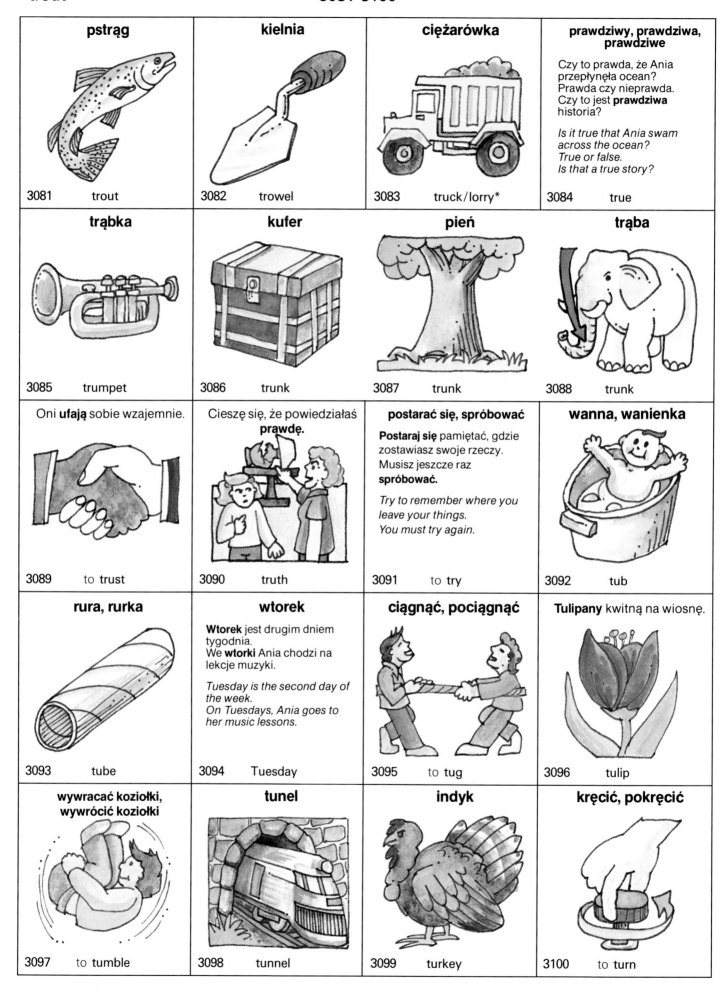

pstrąg

3081 trout

kielnia

3082 trowel

ciężarówka

3083 truck/lorry*

prawdziwy, prawdziwa, prawdziwe

Czy to prawda, że Ania przepłynęła ocean?
Prawda czy nieprawda.
Czy to jest **prawdziwa** historia?

Is it true that Ania swam across the ocean?
True or false.
Is that a true story?

3084 true

trąbka

3085 trumpet

kufer

3086 trunk

pień

3087 trunk

trąba

3088 trunk

Oni **ufają** sobie wzajemnie.

3089 to trust

Cieszę się, że powiedziałaś **prawdę.**

3090 truth

postarać się, spróbować

Postaraj się pamiętać, gdzie zostawiasz swoje rzeczy.
Musisz jeszcze raz **spróbować.**

Try to remember where you leave your things.
You must try again.

3091 to try

wanna, wanienka

3092 tub

rura, rurka

3093 tube

wtorek

Wtorek jest drugim dniem tygodnia.
We **wtorki** Ania chodzi na lekcje muzyki.

Tuesday is the second day of the week.
On Tuesdays, Ania goes to her music lessons.

3094 Tuesday

ciągnąć, pociągnąć

3095 to tug

Tulipany kwitną na wiosnę.

3096 tulip

wywracać koziołki, wywrócić koziołki

3097 to tumble

tunel

3098 tunnel

indyk

3099 turkey

kręcić, pokręcić

3100 to turn

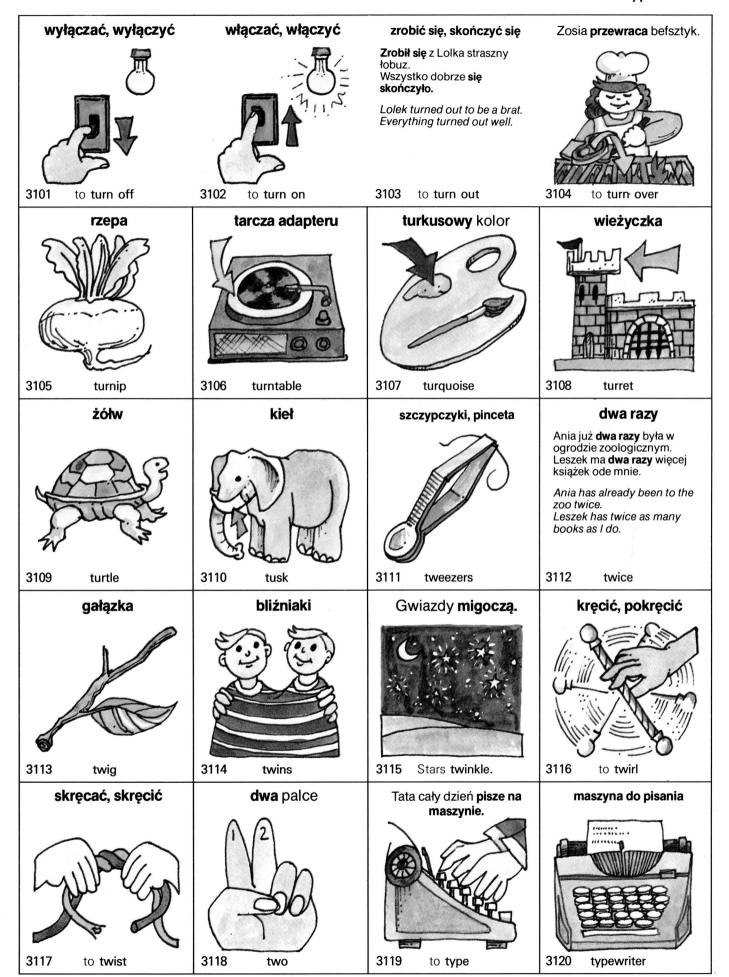

wyłączać, wyłączyć

3101   to turn off

włączać, włączyć

3102   to turn on

zrobić się, skończyć się

Zrobił się z Lolka straszny
łobuz.
Wszystko dobrze **się
skończyło.**

*Lolek turned out to be a brat.
Everything turned out well.*

3103   to turn out

Zosia **przewraca** befsztyk.

3104   to turn over

rzepa

3105   turnip

tarcza adapteru

3106   turntable

turkusowy kolor

3107   turquoise

wieżyczka

3108   turret

żółw

3109   turtle

kieł

3110   tusk

szczypczyki, pinceta

3111   tweezers

dwa razy

Ania już **dwa razy** była w
ogrodzie zoologicznym.
Leszek ma **dwa razy** więcej
książek ode mnie.

*Ania has already been to the
zoo twice.
Leszek has twice as many
books as I do.*

3112   twice

gałązka

3113   twig

bliźniaki

3114   twins

Gwiazdy **migoczą.**

3115   Stars twinkle.

kręcić, pokręcić

3116   to twirl

skręcać, skręcić

3117   to twist

dwa palce

3118   two

Tata cały dzień **pisze na
maszynie.**

3119   to type

maszyna do pisania

3120   typewriter

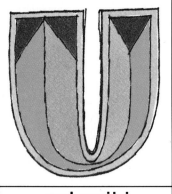

Ona jest brzydka ale ma dobre serce.

3121   ugly

parasol

3122   umbrella

wujek, stryjek

Mój **wujek** jest bratem mojej mamy.
A mój **stryjek** jest bratem mojego taty.

My uncle is my mother's brother.
And my other uncle is my father's brother.

3123   uncle

pod, poniżej

W żadnym wypadku nie pójdę.
Ania schowała się **pod** kołdrę.
Nie dopuszczono dzieci **poniżej** pięciu lat.

I'm not going under any circumstances.
Ania hid under the blanket.
Children under five are not allowed in.

3124   under

rozumieć, zrozumieć

3125   to understand

bielizna

3126   underwear

rozbierać się, rozebrać się

3127   to undress

nieszczęśliwa

3128   unhappy

Jednorożce znajdują się tylko w bajkach.

3129   unicorn

Wujek Rysiek nosi **mundur.**

3130   uniform

uniwersytet

3131   university

rozładowywać, rozładować

3132   to unload

odmykać, odemknąć

3133   to unlock

rozpakowywać, rozpakować

3134   to unwrap

pionowy, stojący

3135   upright

do góry nogami

3136   upside-down

Mama do gotowania **używa** pieprzu.

3137   to use

Ona **zużyła** cały pieprz.

3138   to use up

bardzo **pożyteczny**
scyzoryk

3139   useful

Ona spędza **wakacje** w słońcu.

3140 vacation/holiday*

para

3141 vapor/vapour*

Lakieruję drzewo, żeby je ochronić od wilgoci.

3142 to varnish

wazon

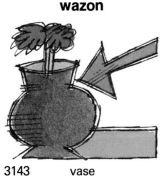

3143 vase

cielęcina

3144 veal

jarzyny

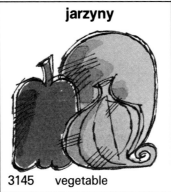

3145 vegetable

pojazd samochodowy

3146 vehicle

Joasia nosi **woalkę** na twarzy.

3147 veil

żyła

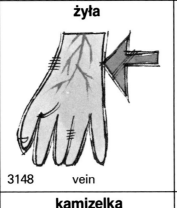

3148 vein

jad

Jad jest trucizną jadowitych węzów.
Niektóre owady też mają **jad**.

*Venom is the poison of venomous snakes.
Some insects also have venom.*

3149 venom

Pionowa linia prowadzi z góry do dołu.

3150 vertical

bardzo

Ania myśli, że jej młodszy brat jest **bardzo** mądry.
Zupa zaraz będzie gotowa.
Reks jest **bardzo** miłym psem.

*Ania thinks that her little brother is very clever.
The soup will be ready very soon.
Reks is a very nice dog.*

3151 very

kamizelka

3152 vest/waistcoat*

Weterynarz jest lekarzem zwierząt.

3153 veterinarian/veterinary surgeon*

To jest **ofiara** przestępstwa.

3154 victim

magnetowid

3155 video recorder

taśma magnetowidowa

3156 video tape

widok, punkt widzenia

Kiedy Emilia i Ania były na kolonii w górach, to ze szczytu gór miały bardzo ładny **widok**.
Każdy z nas ma swój **punkt widzenia**.

*When Emilia and Ania were at camp, they had a very pretty view from the top of the mountains.
Each of us has his or her own point of view.*

3157 view

wieś, wioska

3158 village

łotr

3159   villain

Winogrona rosną na winorośli.

3160   vine

Ania lubi frytki z octem.

3161   vinegar

fiołek

3162   violet

skrzypce

3163   violin

Żeby pojechać do innego kraju, potrzebna jest **wiza.**

3164   visa

widoczny, widoczna, widoczne

Niebo jest pochmurne i ledwo widać gwiazdy.
Niewidoczny człowiek wcale nie jest **widoczny.**

*The sky is cloudy, and the stars are barely visible.
The invisible man is not visible at all.*

3165   visible

Romek **odwiedza** chorą ciocię w szpitalu.

3166   to visit

daszek

3167   visor

słownictwo, zasób słów

Ten, kto ma bogate **słownictwo,** zna dużo słów.
Dobry **zasób słów** jest bardzo ważny.
Ten słownik powiększy twoje **słownictwo.**

*Someone who has a good vocabulary knows many words.
A good vocabulary is very important.
This dictionary will increase your vocabulary.*

3168   vocabulary

głos

3169   voice

wulkan

3170   volcano

siatkówka

3171   volleyball

ochotnik, woluntariusz

3172   volunteer

wymiotować, zwymiotować

3173   to vomit

głosować

3174   to vote

wyborca

3175   voter

a, ą, e, ę, i, o, ó, u, y są **samogłoskami.**

a, ą e, ę, i, o, ó, u, y are vowels.

3176   vowel

daleka **podróż** morzem

3177   voyage

sęp

3178   vulture

	Andrzej **przechodzi w bród** przez potok.	**gofer, wafel**	**wóz**
	3179 to wade	3180 waffle	3181 wagon/cart*

zawodzić	**talia, pas**	Karolina **czeka** na autobus.	Mama go **budzi**.
3182 to wail	3183 waist	3184 to wait	3185 to wake

chodzić, iść	**mur, ściana**	**portfel, portmonetka**	**orzech włoski**
3186 to walk	3187 wall	3188 wallet	3189 walnut

mors	**różdżka** magiczna	**wędrować, powędrować**	**chcieć**
			Kto **chce** więcej kaszki? Tata **chciał** żeby Ania zmywała naczynia.
			Who wants more cereal? Dad wanted Ania to help with the dishes.
3190 walrus	3191 wand	3192 to wander	3193 to want

Ania nienawidzi **wojny**.	**garderoba**	**magazyn**	**ciepłe** rękawiczki
3194 war	3195 wardrobe	3196 warehouse	3197 warm

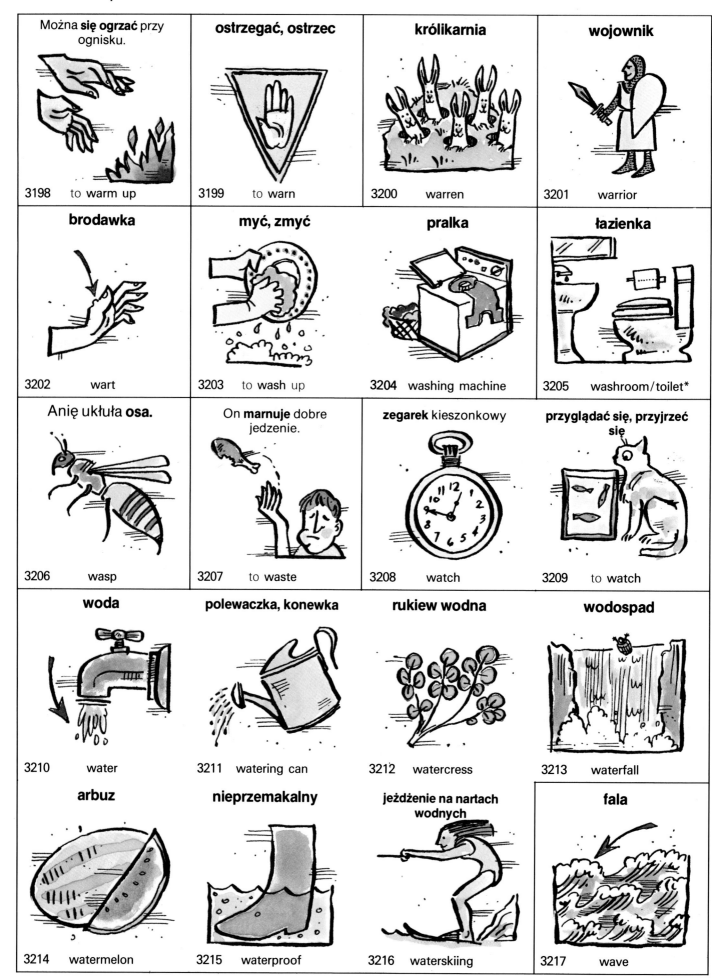

Można **się ogrzać** przy ognisku.

3198 to **warm** up

ostrzegać, ostrzec

3199 to warn

królikarnia

3200 warren

wojownik

3201 warrior

brodawka

3202 wart

myć, zmyć

3203 to wash up

pralka

3204 washing machine

łazienka

3205 washroom/toilet*

Anię ukłuła **osa.**

3206 wasp

On **marnuje** dobre jedzenie.

3207 to waste

zegarek kieszonkowy

3208 watch

przyglądać się, przyjrzeć się

3209 to watch

woda

3210 water

polewaczka, konewka

3211 watering can

rukiew wodna

3212 watercress

wodospad

3213 waterfall

arbuz

3214 watermelon

nieprzemakalny

3215 waterproof

jeżdżenie na nartach wodnych

3216 waterskiing

fala

3217 wave

Kasia **macha** do swoich koleżanek.

3218   to wave

Ona ma **faliste** włosy.

3219   wavy

wosk

3220   wax

słaby

3221   weak

Broń jest niebezpieczna.

3222   weapon

nosić

3223   to wear

łasica

3224   weasel

Jaka jest **pogoda**?

3225   weather

tkać, utkać

3226   to weave

płetwonoga

3227   web foot

ślub

3228   wedding

klin

3229   wedge

środa

Środa jest trzecim dniem tygodnia.
W **środy** Ania wynosi śmieci.

Wednesday is the third day of the week.
Ania takes out the garbage on Wednesdays.

3230   Wednesday

W ogrodzie rośnie **chwast**.

3231   weed

Każdy **tydzień** ma siedem dni.

3232   week

weekend

Ciocia Wacława nas odwiedzi w sobotę i niedzielę.
Weekend to jest sobota i niedziela.

Aunt Wacława will visit us on the weekend.
The weekend is Saturday and Sunday.

3233   weekend

Płacze, bo jest mu smutno.

3234   to weep

ważyć, zważyć

3235   to weigh

Ten rysunek jest **dziwny**.

3236   weird

Liliana **wita** gościa.

3237   to welcome

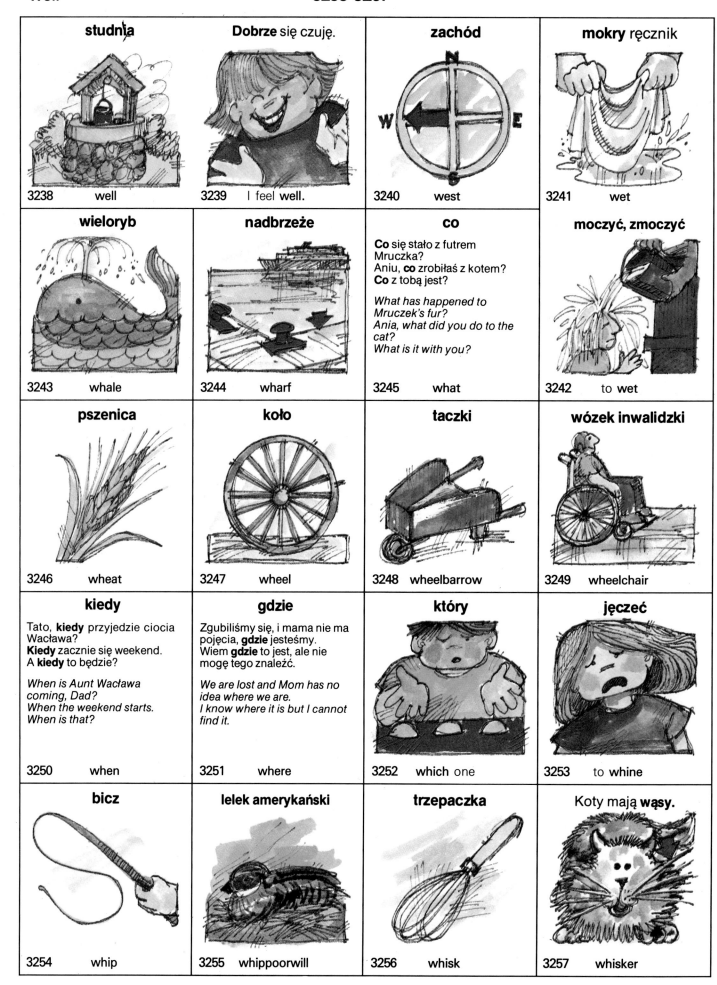

studnia

3238   well

Dobrze się czuję.

3239   I feel **well**.

zachód

3240   west

mokry ręcznik

3241   wet

wieloryb

3243   whale

nadbrzeże

3244   wharf

co

Co się stało z futrem
Mruczka?
Aniu, **co** zrobiłaś z kotem?
Co z tobą jest?

*What has happened to
Mruczek's fur?
Ania, what did you do to the
cat?
What is it with you?*

3245   what

moczyć, zmoczyć

3242   to wet

pszenica

3246   wheat

koło

3247   wheel

taczki

3248   wheelbarrow

wózek inwalidzki

3249   wheelchair

kiedy

Tato, **kiedy** przyjedzie ciocia
Wacława?
Kiedy zacznie się weekend.
A **kiedy** to będzie?

*When is Aunt Wacława
coming, Dad?
When the weekend starts.
When is that?*

3250   when

gdzie

Zgubiliśmy się, i mama nie ma
pojęcia, **gdzie** jesteśmy.
Wiem **gdzie** to jest, ale nie
mogę tego znaleźć.

*We are lost and Mom has no
idea where we are.
I know where it is but I cannot
find it.*

3251   where

który

3252   which one

jęczeć

3253   to whine

bicz

3254   whip

lelek amerykański

3255   whippoorwill

trzepaczka

3256   whisk

Koty mają **wąsy.**

3257   whisker

Ania **szepcze** coś na ucho koleżance.
3258   to whisper

gwizdek
3259   whistle

gwizdać, zagwizdać
3260   to whistle

biały kolor
3261   white

Kto pójdzie?
3262   Who is going?

dlaczego
Chcę wiedzieć **dlaczego** Ania wzięła mój krawat.
Dlaczego ona nie pamięta?

I want to know why Ania took my tie.
Why can she not remember?
3263   why

Knot pali się powoli.
3264   wick

niegodziwy, niedobry, zły
3265   wicked

szeroka
3266   wide

żona
3267   wife

Lew jest **dzikim** zwierzęciem.
3268   The lion is a **wild** animal.

wierzba
3269   willow

Kwiatki **więdną**, jeśli zapominasz je podlewać.
3270   to wilt

chytry
3271   wily

wygrywać, wygrać
3272   to win

Marek **krzywi się** z bólu.
3273   to wince

wiatr
3274   wind

nakręcać, nakręcić
3275   to wind

wiatrówka
3276   windbreaker

wiatrak
3277   windmill

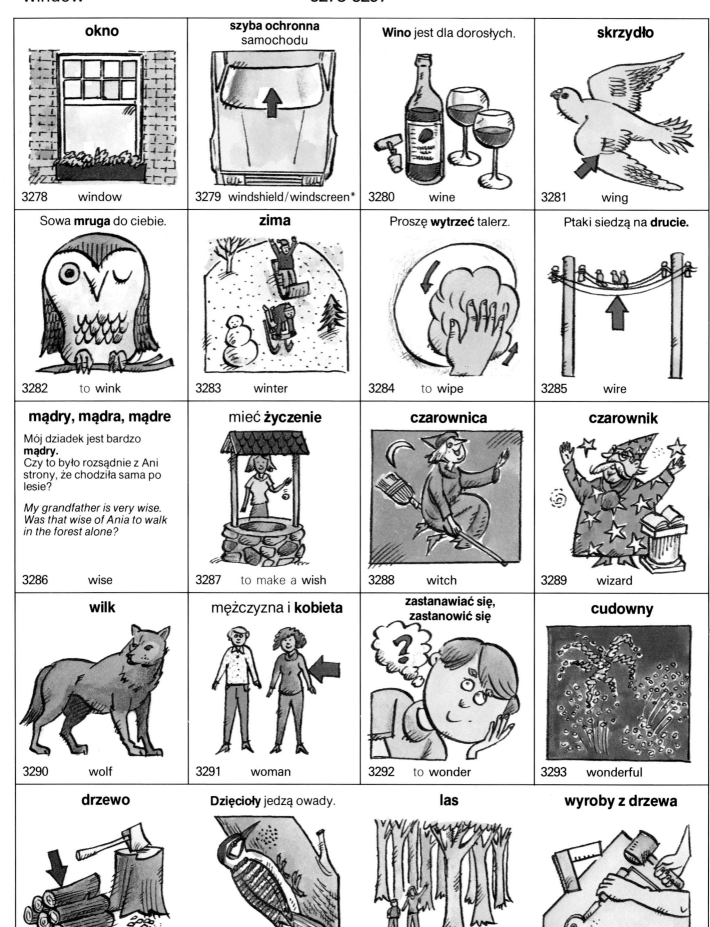

okno

3278   window

szyba ochronna
samochodu

3279   windshield/windscreen*

Wino jest dla dorosłych.

3280   wine

skrzydło

3281   wing

Sowa **mruga** do ciebie.

3282   to wink

zima

3283   winter

Proszę **wytrzeć** talerz.

3284   to wipe

Ptaki siedzą na **drucie.**

3285   wire

mądry, mądra, mądre

Mój dziadek jest bardzo
mądry.
Czy to było rozsądnie z Ani
strony, że chodziła sama po
lesie?

*My grandfather is very wise.
Was that wise of Ania to walk
in the forest alone?*

3286   wise

mieć życzenie

3287   to make a wish

czarownica

3288   witch

czarownik

3289   wizard

wilk

3290   wolf

mężczyzna i kobieta

3291   woman

**zastanawiać się,
zastanowić się**

3292   to wonder

cudowny

3293   wonderful

drzewo

3294   wood

Dzięcioły jedzą owady.

3295   woodpecker

las

3296   woods

wyroby z drzewa

3297   woodwork

wełna

3298   wool

On powiedział dziwne **słowo.**

GLÜRP

3299   word

Istnieją różne rodzaje **pracy.**

3300   work

pracować, popracować

3301   to work

warsztat

3303   workshop

świat, ziemia

3304   world

robak, glista

3305   worm

trenować

3302   to work out

Mama **martwi się** o Anię.

3306   to worry

rana

3307   wound

zawijać, zawinąć

3308   to wrap

wieniec kwiatów

3309   wreath

wrak

3310   wreck

strzyżyk

3311   wren

prowadzić zapasy

3312   to wrestle

wykręcać, wykręcić

3313   to wring

nadgarstek

3314   wrist

zegarek na rękę

3315   wristwatch

pisać, napisać

3316   to write

niewłaściwy, niewłaściwa, niewłaściwe

Myślę, że nasz autobus jedzie w **niewłaściwą** stronę. Czy oni nie mają racji?

I think our bus is going the wrong way. Are they wrong?

3317   wrong

rentgen, prześwietlenie

3318   X-ray

ksylofon

3319   xylophone

mały jacht

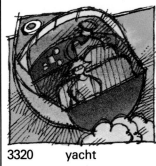

3320   yacht

Mamy ładne **podwórze.**

3321   yard/garden*

ziewać, ziewnąć

3322   to yawn

jeszcze jeden **rok**

3323   year

wrzeszczeć, wrzasnąć

3324   to yell

żółty kolor

3325   yellow

tak

Tak, istnieje Święty Mikołaj.
Czy odpowiedź jest „**tak**",
„nie", czy „może"?
Jeśli powiesz „**tak**", to musisz
być pewna.

*Yes, there is a Santa Claus.
Is the answer "yes", "no", or
"maybe"?
If you say yes, you must be
sure.*

3326   yes

wczoraj

Wczoraj Ania chorowała, bo
zjadła za dużo lodów.
Co robiłeś **wczoraj?**

*Yesterday Ania was sick from
eating too much ice cream.
What did you do yesterday?*

3327   yesterday

ustępować, ustąpić

3328   to yield/give way*

żółtko jaja

3329   yolk

młody i stary

3330   young

Ania narysowała **zebrę.**

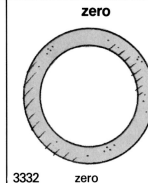

3331   zebra

zero

3332   zero

---

zamek błyskawiczny

3333   zipper/zip*

ogród zoologiczny

3334   zoo

**podrywać się,
poderwać się**

3335   to zoom

Cukinia jest ostatnim
słowem w słowniku.

3336   zucchini/courgette*

The perfective aspect of the verb is marked with an asterisk.

Forma dokonana czasownika oznaczona jest gwiazdką.

a

adapter 2374
admirał 18
afisz 2211
Afryka 25
agrest 1170
akcelerator 5
akcent 6
akordeon 8
akrobatka 14
akwarium 89
albo 1957
album 43
ale 393
alfabet 54
aligator 48
aluminiowy, (-a,-e) 58
amerykańska leszczyna
    2066
ananas 2126
ani...ani 1894
anioł morski 1826
Antarktyda 72
antylopa 73
apteka 2097
aptekarka 2096
arbuz 3214
architekt 92
aresztować
    (*zaaresztować) 101
Arktyka 93
armata 425
artysta 105
as 10
aspiryna 113
astronauta 115
astronom 116
atlas 119
atletka 118
atłasowy, (-a,-e) 2504
atmosfera 120
atrament 1443
Australia 128
autobus 389, 561
automat telefoniczny 2054
automatyczny, (-a,-e) 130
autor 129
autostrada 1331
Azja 109

b

babcia 1182
babeczka 2936
bać się 24
badać (*zbadać) 916, 926,
    1447

bagaż 1701
bagażowy 2205
bagno 1741
bajka 936, 2918
balet 157
baletnica 156
balkon 153
balon 158, 159
bałagan 1776
banan 160
banda 1100
bandaż 163
bank 166
banknot 247
bańka mydlana 367
bar 168
baranek 1561
bardzo 3151
barka 173
barwinek 2088
baryłka 179
baseball 185
basen 2193
bateria 195
bawełna 636
bawić się 2154
bawół 371
baza 184
bazar 198
bazylia 187
bażant 2098
bąk 3029
beczka 179
befsztyk 2804
benzyna 1110
beret 237
bestia 207
beton 604
bez 1646
bezczynny, (-a,-e) 1421
beznadziejny, (-a,-e) 1370
bezpiecznik 1094
bezradny, (-a,-e) 1309
beżowy, (-a,-e) 227
bęben 841
bębnić (*zabębnić) 208
biały, (-a,-e) 3261
biblioteka 1628
bicz 3254
bić brawo 83
bić się (*pobić się) 984
biec (*pobiec) sprintem
    2776
biec (*pobiec) 1492, 2475
biedny, (-a,-e) 2195
biedronka 1557
bielizna 1588, 3126
bielizna pościelowa 1653
bieżnik 3063
bilard 249

bilet 2993
biodro 1336
biurko 751
biustonosz 328
blezer 272
blisko 1881
blizna 2518
bliźniak 3114
bloczek 1988
blokować (*zablokować)
    282, 1478
blond 283
bluszcz 1471
bluzka 288
błagać (*wybłagać) 2157
błoto 775, 1854
błysk 1016
błyszczący, (-a,-e) 2603
błyszczeć (*zabłyszczeć)
    2743
bochenek 1673
bocian 2833
boczek 144
bogaty, (-a,-e) 2417
bohater 1318
bohaterka 1319
boja 384
bok 2635
bokser 326
boleć (*zaboleć) 1406
bosy, (-a,-e) 171
botwinka 491
bóbr 210
ból 11, 1995
ból głowy 1288
ból zęba 3025
brać (*wziąć) 2910
brama 1114
bramka 1161
bransoletka 329
brat 358
bratanek 1896
bratanica 1910
bratek 2012
brązowy, (-a,-e) 360
brew 359, 933
broda 206, 515
brodawka 3202
brokuł 354
broń 3222
broszka 355
brudas 2691
brudny, (-a,-e) 989, 1204
bruk 2051
brukselka 366
bruzda 2481
brzeg 2311, 2616
brzoskwinia 1887, 2056
brzydki, (-a,-e) 1060, 1215,
    3121

brzytwa 2356
buda 1514
budować (*zbudować) 374
budyń 2273
budzić (*obudzić) 134,
    3185
budzik 42
bujać się (*pobujać się)
    2443
bujak 2445
bukiet 321
buldożer 376
bumerang 307
buntować się (*zbuntować
    się) 2367
burak 210
burmistrz 1754
burta 1975
burza 2834
burza z piorunami 2990
but 2609
butelka 316
butla 1018
być 199
bydło 462
byk 375

c

cal 1431
całować (*pocałować)
    1534, 1535
carna porzeczka 263
cążki do paznokci 1870
cebula 1949
cedzić (*przecedzić) 2838
cegła 343
celować (*wycelować) 35
cement 472
cena 2236
centymetr 474
ceramika 2214
chałupa 2576
charakter 489
chata 2576
chatka 1408
chcieć 3193
chciwy, (-a,-e) 1197
chichotać się
    (*zachichotać się) 1138
chirurg 2878
chlapać (*chlapnąć) 2761
*chlapnąć (chlapać) 2761
chleb 336
chlew 2115
chłodny, (-a,-e) 512, 622
chłopiec 327
chmura 553
chochla 1555

strzelać (*wystrzelić) 2196
*strzelić (strzelać) 2612
strzyżyk 3311
student 2856
studiować 2857
studnia 3238
stulecie 476
stworzenie 666
styczeń 1479
sucha sukienka 842
sucharek 255
sufit 467
sukienka 821
supersam 2874
surowy, (-a,-e) 2354
suszarka 845, 1240
suszyć (*wysuszyć) 843
sweter 2889
swędzenie 1468
swędzić 1469, 1470
sygnał drogowy 3048
sygnał świetlny 1015
sypialnia 215
syrena 1774, 2651
syrop 2901
szafa 549
szafka 401, 823
szalik 2521
szalupa 1585
szampon 2581
szarańcza 1679
szary, (-a,-e) 1202
szczekać (*szczeknąć) 174
*szczeknąć (szczekać) 174
szczeniak 2290
szczery, (-a,-e) 293, 1357
szczęka 1481
szczęśliwy, (-a,-e) 1266
szczodry, (-a,-e) 1119
szczoteczka do zębów
    365, 3026
szczotka 363
szczotka do włosów 123ß
szczotkować
    (*wyszczotkować) 362
szczupły, (-a,-e) 2684
szczur 2348
szczypać (*szczypnąć)
    2124
szczypce 2161, 3019
szczypczyki 3111
szczypiorek 519
*szczypnąć (szczypać) 2124
szczyt 2058
szelka 2883
*szepnąć (szeptać) 3258
szeptać (*szepnąć) 3258
szeroki, (-a,-e) 3266
szerszeń 1377
sześcian 692
sześciokąt 1322
sześć 2654
szew 2547
szewc 2611
szkicować (*naszkicować)
    2660

szklanka 1151
szkło 1150
szkło powiększające 1715
szkocka spódniczka 1527
szkodnik 2090
szkoła 2526
szlachcic 1918
szlachetny, (-a,-e) 1917
szlifować (*wyszlifować)
    2187
szminka 1660
sznur 626, 2455
sznur do suszenia bielizny
    552
sznurek 2853
sznurować (*zasznurować)
    1553
sznurowadło 2610
szop 2325
szorować (*wyszorować)
    2541
szorstki, (-a,-e) 564, 2460
szorty 2618
szósty, (-a,-e) 2655
szpak 2797
szparag 112
szpic 2753
szpinak 2756
szpital 1382
szpulka 2765
szron 1078
sztaba metalu 167
sztaluga 865
sztuczka magiczna 3070
sztućce 713
szturchać (*szturchnąć)
    1472
szturchać (*szturchnąć)
    2182
*szturchnąć (szturchać)
    1472
*szturchnąć (szturchać)
    2182
sztylet 719
sztywny, (-a,-e) 2818
szuflada 818
szukać (*poszukać) 2548
szyba ochronna 3279
szybki, (-a,-e) 959, 2344
szybko 2314
szybowiec 1154
szyć (*uszyć) 2573
szyja 1884
szympans 514
szyszka 609

Ś

ściana 3187
ściągać (*ściągnąć) 498
*ściągnąć (ściągać) 498
ściek 815
ścierka 550
ścieżka 2046

ścigać się (*prześcigać
    się) 2326
ściskać (*ścisnąć) 2781
*ścisnąć (ściskać) 2781
ślad 3049
ślad stopy 1046
śledź 1320
śliniaczek 243
ślinić się (*poślinić się)
    824, 834
śliski, (-a,-e) 2685, 2688
śliwka 2166
śliwka suszona 2270
ślizgać się (*poślizgnąć się)
    1153, 2663, 2688
ślub 3228
śmiać się (*uśmiać się)
    1584
śmiały, (-a,-e) 1058
śmieci 1103, 2466
śmiecić (*zaśmiecić) 1665
śmierdzący, (-a,-e) 2702
śmierdzieć (*zaśmierdzieć)
    2380, 2821
śmiertelny, (-a,-e) 962
śmieszny, (-a,-e) 1089
śmietanka 664
śmietnisko 850
śmigło 2262
śniadanie 340, 620
śniadaniówka 1707
śnić się (*przyśnić się) 820
śnieg 2712
śpiący, (-a,-e) 840, 2680
śpieszyć się (*pośpieszyć
    się) 2479, 2747
śpiewać (*zaśpiewać) 2646
śpiwór 2679
średni, (-a,-e) 1766
środa 3230
środek 473, 1789
śruba 302, 2539
śrubokręt 2540
świadectwo 479
świat 3304
świder 827
świeca 421
świecić (*zaświecić) 2600
świergotek 1757
świerk 2777
świerszcz 670
świetnie 992
świeżo 1070
świeży, (-a,-e) 1291
świętować 468
święty, (-a,-e) 1354, 2484
świnia 2113
świnka 1857
świnka morska 1227
świstak 1217
świstek 2534

t

tabletka 2904
tablica 262, 2010

tablica ogłoszeń 248
tablica rozdzielcza 732
tabliczka 2676
tabliczka rejestracyjna
    1629
taboret 2827
taca 3062
taczki 3248
tak 3326
taki...jak 106
taksówka 2940
taktomierz 1784
talent 2919
talerz 2151
talia 3183
tam 2967
tama 723
tamburyn 2922
tancerka 727
tani, (-a,-e) 497
tankowiec 2928
tańczyć (*zatańczyć) 726,
    2225
tarcza 2598
tarcza adapteru 3106
tarcza strzelnicza 2934
tarka 1190
tasować (*potasować)
    2631
taśma 2930
taśma magnetowidowa
    3156
tchórz 651
teatr 2966
teczka 349
tektura 439
telefon 2099, 2950
telefonować
    (*zatelefonować) 2951
telegram 2949
teleskop 2952
telewizja 2953
telewizor 2953
temblak 2686
temperatura 2956
temperówka 2587
tenisowy, (-a,-e) 2958
tenisówka 2709, 2959
termometr 2968
też 57
tęcza 2338
tęsknić (*zatęsknić) 1807
tkać (*utkać) 3226
tlen 1984
tłuc (*stłuc) 337, 2588
tłuc młotkiem 2218
tłum 683
toczyć się (*stoczyć się)
    2448
tona 3021
tonąć (*utonąć) 2649
topić (*stopić) się 1770
topola 2197
topór 1278
tor 3044
torba 147